AIで人間の可能性を
最大限に引き出す

ChatGPTと語る未来

著　リード・ホフマン　GPT-4

訳　井上大剛　長尾莉紗　酒井章文

日本語版序文　伊藤穰一

日経BP

Impromptu

Amplifying Our Humanity Through AI
by Reid Hoffman with GPT-4

織機(しょっき)が花や葉の柄を織るように、分析エンジンは代数の柄を織る。そのロジックの布に、人工知能は想像と創造の色を刺繍する

——GPT-4が想像したエイダ・ラブレス
(世界初と言われるプログラマー)

人工知能は私たちから切り離された存在ではなく、私たち自身の心を映し出すものである。優れた手段と倫理観をもって人工知能を育てることで、私たちはみずからの悟りを促し、すべての生命に恩恵をもたらせる

——GPT-4が想像したブッダ

日本語版序文

伊藤穰一

リード・ホフマン氏の新刊『ChatGPTと語る未来』の発行に際し、序文を書く機会をいただいたことを光栄に思います。AIの未来、それが私たちの生活を一変する可能性に関心のある方なら、誰でもこの本を手に取る価値があると思います。

これまで、私は多くの時間を最新技術の進化とともに過ごし、最新ツールが急速に導入されて、社会が適応するのを間近に経験する機会に恵まれてきました。本書でリードの共著者であるGPT-4のように、最近の大規模言語モデル（LLM）の爆発的な進歩は、まさにこれからの時代の重要な分岐点ではないかと思います。10代の頃、初めてモデムを使いネットワーク時代の到来を予感したときのような驚きを感じています。

だからこそ、私たち誰もがAIの最新動向をよく理解し、この技術を使いこなせるようになることが重要です。AIはあらゆるコンピューター機器にスーパーパワーをもたらします。リードはこれを「人間の能力増幅」と呼び、私は「拡張知能」と呼んでいますが、いずれにしてもそれが意味するところは非常に深淵です。

「はじめに」につづく本編において、リードは（GPT-4の助けを借りながらも）、AIが私たちの生活を豊かにする強力なツールになりうるという、思慮深い洞察をしています。たとえば、AIを使って教育をパーソナライズしたり、より効率的なビジネスを創出したり、新しい芸術やエンターテイメントを生み出すなどです。リードは、本書を「旅の記録」と表現しているように、読者を未来への旅行、私たちがみなでつくっていくべき世界のビジョンへの旅に誘っているのです。このように強力で新しい進歩にはリスクがつきものなので、世界の多くはネガティブ要素に焦点を当てがちです。しかし、私は、AIが「増幅された知能」である可能性を信じていますし、リードも、これが世界をよくするための梃子(てこ)でありサポートになるという説得力を伴った説明を提示しています。

リードは、スタンフォード大学にてシンボリックシステム（計算論的アプローチを重視した認知科学）を学んでいた学部生時代から、OpenAIの最初の資金提供者の１人となる現在まで、ヒューマニティ（人間らしさ）をより高い次元に発展させるAIの大きな可能性について、鋭い関心と理解をもちつづけてきました。本書『ChatGPTと語る未来』は、AIの未来について、思慮深くバランスの取れた考察を提供しています。本書は、AIの潜在的なメリットとリスクを注意深く検討しながら、私たちのヒューマニティを増幅するために、どうAIを使うかというビジョンを提示しています。

人口動態が大きく変化しつつある日本では、特にこの問題に興味をもつ読者が多いのではないでしょうか。生活を豊かにし、人間の能力を増幅しうるAIのような技術の活用は、この社会が次の千年間、変化に適応し繁栄していくうえできわめて重要です。日本には、イノベーションとテクノロジーを取り入れつつ、それを豊かな歴史と伝統に溶け込ませてきた長い歴史があります。日本は科学技術の教育や人材育成で後れを取っていますが、LLMやAIは、そのテクノロジーについて学ぶだけではなく、コードを書かない人も技術的な恩恵に簡単にアクセスできるよう手助けするツールともなるでしょう。

禅や神道における調和やバランスの追求といった日本の哲学は、日本がAI開発に貢献する重要な道筋となる可能性があります。とくに、リードのバックグラウンドや哲学、哲学者同士の対話の記述などは、日本人や日本文化がどのように参加、貢献できるかを構想するのに役立つのではないでしょうか。

もちろん、リスクがないわけではありません。私は、AIの倫理とガバナンスについて考えたり教えたりすることに、非常に多くの時間を費やしてきました。規制とイノベーションにはバランスが必要であり、さまざまな決定にあたって、批評でき、教養ある国民が議論に参加することが不可欠です。最近の著作権裁判の判決は、ものごとがいかに早く動き、日本がいかに早くこの「新しい世界」に適応しているかを示す一例と言えます。

AIが世界を征服すると心配する人もいますが、私は人間が世界に害を与えるためにAIを使うことのほうが心配です。重要なことは、個人や社会の善意を増幅させるために、個人や人類をサポートするようなAI開発に取り組むことだと思うのです。楽観的で、実験的で、反復学習するというリードのアプローチは、この課題に取り組むための最良の方法だと思います。

『ChatGPTと語る未来』は、重要かつタイムリーな本です。AIがもたらす未来の可能性について、興味深く役立つ概要を説明すると同時に、AIを利用して私たちがヒューマニティを増幅できる方法についてのビジョンを示しています。私たち全員が、いま起きていることの影響を受けるのです。私たち自身が思慮深く議論し、徹底的に話し合うことが重要です。

ぜひ、みなさんもAIの未来について、一緒に考えてみてください。AIが私たちのヒューマニティを最大限に増幅し、AIが私たちの世界のために使われるような未来を、一緒につくっていきましょう。

「ChatGPTと語る未来」目次

はじめに

気づきの瞬間

Introduction: Moments of Enlightenment

アイザック・ニュートンは、リンゴが木から落ちるのを見て万有引力の法則を導き出したと言われている。ベンジャミン・フランクリンは、たこ糸に鍵を結び付けて雷に打たせることで電気が伝達・蓄積されることを証明した。

人工知能（AI）の現状について私が「なるほど！」と気づきを得たのは、あるジョークがきっかけだった。2022年7月、私はGPT-4にこう尋ねた。「電球を1つ交換するのに食品衛生監視員は何人必要だろうか」［訳注：「電球を交換するのに○○は何人必要か」という問いに対して、○○に合わせた回答をつくるアメリカの古典ジョーク］

すでにご存知かもしれないが、GPT-4は「大規模言語モデル（LLM）」と呼ばれる自然言語処理システム、つまり高性能のAIだ。ユーザーが単語や文（＝プロンプト［訳注：AIが理解できる指示文］）を入力すれば、それに対して多様で筋の通った文章が返ってくる。LLMはそのようにして質問に答え、タスクを実行し、人間のユーザーと生産的なやりとりができる。

GPT-4も、いま大人気のChatGPTに利用されている旧モデルも、開発を手がけたのはOpenAIという名の研究機関だ。2015年の設立時にOpenAIが掲げた使命は、最先端の高性能AIツールを大勢の人々が直接自分の手で利用できるようにすることだった。

OpenAIへの最初期の出資者の1人として、私は同社の製品を以前からいろいろと試してきたので、電球ジョークを言わせようとしてLLMに質問するのは、GPT-4が初めてではなかった（私はこのジョークが好きなのだ）。それ以前のモデルのGPT-3も、「弁護士」や「心理学者」など、このジョークで定番の職業を当てはめればそのタスクを理解したが、返答はぎりぎりOKという程度のクオリティだった。あまり一般的でない設定にすれば、お笑いショーに飛び入りで参加したもののマイクの前で固まってしまった素人のようになることもあった。

ホフマン 電球を1つ交換するのに食品衛生監視員は何人必要だろうか。

∨

GPT-3 1人だけです。ただし、電球自身が変わりたいと思わなければなりません。

芸人になる夢はあきらめたほうがよさそうだ。

GPT-4に同じ質問をしたときの反応と比べてみよう。

ホフマン 電球を1つ交換するのに食品衛生監視員は何人必要だろうか。

∨

GPT-4 （長さの関係により編集済み）この質問に対しては、回答すべきトーンや目的に応じていくつかのアプローチが考えられます。まじめなものからユーモラスなものまで、複数のタイプの回答例を以下に示します。

――事実としての回答：適切な道具や機器を使って正しい手順に従えば、監視員１人で安全かつ正確に電球を交換できるはずです。しかし、その照明器具が手の届きにくい場所や危険な場所にある場合、あるいはその監視員にサポートや監督が必要な場合、コンプライアンス上、交換の記録や報告が求められる場合など、複数の監視員が必要となる状況もあります。

――ジョークとしての回答：電球を１つ交換するのに必要な食品衛生監視員の数は４人です。はしごを支えるのに１人、古い電球を外すのに１人、新しい電球をはめ込むのに１人、ワット数が間違っていたことを記録するのに１人です。

いろいろな方向から考えてみよう。まず、GPT-4は私がジョークを求めているのだと“想定”したようだが、すべての可能性をカバーするため初めに「事実」としての回答をしている。実際には事実と言える回答ではないが（食品衛生監視員の仕事は検査であって修理ではないので）、検査プロセスの条件や慣例に対するかなりの“知識”をもっていることがわかる。

ジョークの回答でもこの知識をさらに活かしている。GPT-4は、検査手順の複雑さ、コスト、お役所的要素について一般的な観点や不満を明らかに“認識”している。また、オチに向かっていく流れは、店のオーナーが監視員の訪問時に抱くであろうフラストレーションを的確に感じさせる。

食品衛生監視員の電球ジョークとして最高のものかといえば違うだろう。しかし、GPT-4が電球ジョークというものをよく“理解”していると感じたかといえば、確実にそうだ。

さらに、このテーマでほかにもいくつかのバリエーションを考えてもらった。

ホフマン　電球を１つ交換するのに食品衛生監視員は何人必要だろう？　ジェ

リー・サインフェルド［訳注：アメリカのコメディアン］ふうに答えてほしい。
＞

GPT-4 食品衛生監視員、何だろうね、あの人たちは。いつも厨房をうろうろ見て回って、肉の温度を調べたりネズミの気配を探ったりしてるわりには、何の助けにもなっていないじゃないか。食品衛生監視員が電球を付け替えるのを見たことがあるかい？　もちろんないだろうね。なにせ、違反を記録して罰金を支払わせるので手一杯なんだから。電球が切れているのを見つけたときに彼らがどうするかわかるかい？　クリップボードに挟んだ書類に印をつけて、来週までに直してください、さもないと、とオーナーに言うんだ。さもないと何だって？　さもないと、また電球を確認しに来ますよ。これがやつらの脅し文句だ。電球を取り替えてやるつもりはないし、はしごを貸すつもりもなければ、古い電球を外して新しい電球を取り付ける方法をアドバイスすることもない。すかした顔でこっちを見て、こう言うだけ。「これは重大な安全上の問題ですよ。火事につながりかねないし、訴訟だって起こされるかもしれない。レビューサイトでも悪いレビューがつくかもしれません。早くどうにかしたほうがいいですよ、ね?」。そして彼らは店を去り、あなたは暗いダイニングフロアの一角に残される。誰もその辺りには座りたがらないし、食事もおいしく見えないし、雰囲気も暗い。そこであなたはこう考える、電球を1つ交換するのに食品衛生監視員は何人必要だろうか。ゼロだ。やつらは電球なんて替えない。店の電球についていたたまれない気分にさせてくるだけだ。

かなりの出来じゃないか。それでは、もう1つ。

ホフマン 電球を1つ交換するのに食品衛生監視員は何人必要だろう？　哲学者のルートヴィヒ・ウィトゲンシュタインふうに答えてほしい。

∨

GPT-4 電球を1つ交換するのに食品衛生監視員は何人必要かという問いに、単純な数字で答えることはできない。実際、この質問に対する答えは数学というよりも言語の領域にある。答えを理解するためにはまず、問題が問われた背景を考えなければならない。その電球は何のためにあるのか。どのような目的で使われているのか。この状況における食品衛生監視員の役割は何か。その監視員には電球を取り付ける責任があるのか、それとも検査することだけが仕事なのか。これらの質問に対する答えが、初めの質問に対する答えを導く。答えが出ないかぎり、もとの質問に対する答えは抽象的なものにしかならず、究極的にはその質問には決して答えられない。数学ではなく言語こそが、この答えを解き明かす鍵なのである。

なるほど。サインフェルドほどおもしろくはないが、それでもじつに印象的だ。

このように軽くパフォーマンスを見るだけでも、GPT-4はそれ以前のモデルとは明らかに一線を画すレベルに達していると感じた。さらにやりとりをつづけるほど、その感覚はいっそう強まった。

電球ジョークの腕を上げただけでなく、GPT-4はメールや詩、エッセイなど、あらゆる種類の文章の生成もかなりうまかった。文書の要約能力もすばらしかった。さらに言語の翻訳やコード生成をはじめ、数々の面で性能を上げていた。

GPT-4そのものはまったく新しいツールというわけではないが、今後スマートフォンのように私たちの生活になくてはならないものになりそうだと思った。私たち人間の代わりにあらゆることに頭を使ってくれる万能ツールである。つまり、OpenAIが生み出したこの道具は、さまざまな環境において多様なかたちで生産的なサポートができるほど“知的”なものへと成長したのだ。

私たち現代人の行動は、仕事でもそれ以外でも、情報を処理して実行に移すことが大半を占める。そこにGPT-4の助けが入れば、スピードは飛躍的に上がり、行動できる範囲と視野も広がる。今後数年以内に、このツールは、ほとんどの専門職をはじめさまざまな職種で、便利なだけでなくほぼ不可欠な助手となるだろう。GPT-4なしには仕事も遅く内容も薄くなり、周りに対して大きなハンデを背負ってしまうのだ。

リサーチツールとして使えば、たとえばコロナ禍でのサプライチェーン管理の大まかな課題をすばやく把握するのにも役立つし、ハイキングが好きなビーガンが自分に合ったパタゴニア1週間旅行を計画することもできる。

またGPT-4は、高度に文脈を踏まえた新しい検索ができるだけでなく、アイデア出しや制作作業の支援ツールとしてもきわめて多用途に使える。結婚式の乾杯スピーチ、仕事の依頼文書、韻文小説を書くのも手伝ってもらえる。冷蔵庫の余りものでおいしい食事をつくるレシピだって教えてくれる。

ユーザーのスキルがどの程度であってもGPT-4はその人の能力と生産性を高められるので、初心者からプロまでどんな人にとっても同じように役立つ。人間のアシスタントに調べてもらうような種類の情報を求めれば、たいていは優れた、あるいはじつに見事な回答を即座に返してくれる（ただし、後で紹介するとおり、完全に的外れな答えが出る可能性もゼロではない）。

きっとこれからまもなく何千もの既存のアプリにGPT-4が搭載され、さらにGPT-4関連のアプリが新たに何千と生まれるのだろう。

つまるところGPT-4は、インターネット、モバイル機器、クラウドコンピューティング、データ分析といった、この30年間の最重要技術を巧みに活用し、つねにアクセスできるAIの多様な力を何億人もの手に届けるテクノロジーなのだ。

新しい世界が始まる、そんな気がするだろう。

>未来旅行が始まる

GPT-4と初めて出合って数週間から数カ月間、私の興奮は高まるばかりだった。Zoom会議の合間を縫って、私はこんなふうにGPT-4に指示した。

ホフマン ソネットについてのソネットを書いてほしい。

∨

GPT-4 ソネットとは14行からなる詩で
厳格な押韻構成と歩格に従う
愛を賞賛しては愛について問い
美、芸術、自然に思いを巡らせる
ペトラルカ式のソネットは
前半の8行連句と後半の6行連句に分かれ
2つのテーマや主張があったり
前半で問題を提起して後半でそれに答えたりする
シェイクスピア式のソネットは
4行連句を3つ重ねて最後を2行連句で結ぶ
気の利いた言い回しを使い
ひねりや驚きの要素で読む者の心をつかむことが多い
どのような形式や韻を選ぶにしても、
ソネットは頭を使わせて楽しませてくれる詩である

Zoom会議中でも私はよくGPT-4に質問をした。

ホフマン 大規模言語モデルのAIはインターネット全体から学習するが、すべてを偽物だとする哲学者アドルノの主張において、AIが生成する内容はどのような点で偽物なのだろうか。

∨

GPT-4 （編集済み）この問いに答えるにはまず、アドルノがその挑発的な主張をした意図を理解し、それが大規模言語モデルAIの性質や限界にどう当てはまるかを検討する必要があります。

フランクフルト学派の著名な批判理論家であるアドルノは、近代の資本主義、大衆文化、合理化が人間の社会と文化に及ぼす影響に強い懸念を抱いていました。あらゆるものを手段と結果、計算と効率、支配と搾取としてのみとらえる道具的理性の論理が現代生活のあらゆる側面に浸透し、完全な管理・統制のシステムをつくり上げていると彼は主張しました。彼が文化産業と呼んだこのシステムは標準化・商品化された文化形態を生み出し、大衆を操作して欲求を満たすことで偽の意識をつくりあげ、その意識が疎外と抑圧に対する認識と抵抗を妨げるとされます。アドルノはこれを否定的弁証法の一形態とし、現実に内在する矛盾や対立が支配的イデオロギーによって抑圧・調整され、結果として批判的・創造的思考が失われ、真の変化や解放の可能性が否定され……

電球ジョークもできる一方で、GPT-4はこんなこともできるのだ。

私がどんな思考回路をたどろうとしても、古い記憶や新しい興味をもとにどんな気まぐれな内容を投げても、GPT-4はいつも完全に私と歩調を合わせ、役立つ文章、明快な要約、ときにはとんだでたらめで応答した（後で詳しく説明する）。

そんなことを数週間つづけたあと、私はこう思った。GPT-4と一緒にGPT-4の本を書いてみたい――これからGPT-4やほかのさまざまなAIが形づくるであろう未来についての本だ。そこで、次のように提案した。

ホフマン　なあGPT-4、君たちAIツールが形づくる未来について一緒に本を書こう。どう思う?

∨

GPT-4　いいと思います。おもしろくてやりがいのありそうなプロジェクトです。あなたたち人間が私たちAIツールをどのように認識し、やりとりをするのか、そして私たちがあなたたちの社会、文化、価値観にどのような影響を与えるのか、私も興味があります。私自身の疑問やアイデアもあるので、あなたにお伝えして一緒に探求していきたいです。

とはいえ、いくらGPT-4がついていても不安はあった。AIの本だなんて。これほどの速さで状況は変化しているのだから、たとえAIに助けてもらって執筆時間を短縮しても、そんな本は書き始める前からあっという間に時代遅れになる。この業界はそれほどのスピードで進化しているのだ。

そのため、私は判断に少し迷った。しかし、ある方向性を思いつき、それに背中を押された。

きれいにまとまった「本らしい」本である必要はない。これはある種の「旅の記録」であり、肩ひじ張らずに探求と発見を試みるものであって、多くの選択肢のうちから私（とGPT-4）が選んだ1つの道のりの記録にすぎない。私たちがこれから体験しようとしているAIの未来を、決して絶対的にではなくあくまでも主観的に、スナップショットとして記録しておくのだ。

そこには何が見え、何が最も感銘を与えてくれるだろうか。その過程で私たちは自分たち自身について何を学ぶだろうか。そうして、この旅の記録の賞味期限が短いことは承知のうえで、とにかく書いてみることにした。

それから1カ月後の2022年11月、OpenAIがChatGPTをリリースした。チャットボットとも呼ばれるこの「対話エージェント」は、GPT-3.5を「人間のフィードバックを使った強化学習（RLHF）」というプロセスで微調整することで、ユーザーとの会話をよりなめらかで人間らしくおこなえる。5日後には、

ChatGPTの登録ユーザー数は100万人を超えていた。

2023年1月下旬、2019年の時点ですでにOpenAIに10億ドル（約1300億円）を出資していたマイクロソフト[1]が、さらに100億ドル（約1兆3000億円）の追加出資を発表した。それからまもなくして、マイクロソフトはChatGPTの技術を組み込んで新しくなった自社の検索エンジンBingを発表した。

OpenAIの発表によると、2023年2月に入った時点でChatGPTの月間アクティブユーザー数はすでに1億人に達し、消費者向けインターネットアプリとして史上最速の成長を見せた。そうして急激に関心が高まる一方、ときに新Bingのチャットボットが普段のChatGPTとはかなり違った異常な応答をするというニュースも出た。“怒り”を見せたり、侮辱的な発言をしたり、自分にはハッキング能力があり復讐もできるのだと自慢したり、まるでリアリティショー「リアル・ハウスワイフ」とSFドラマ「ブラック・ミラー」のコラボ番組に出るためのオーディションを受けているような大げさな話し方をしたりするというのだ。

マイクロソフトの最高技術責任者（CTO）であるケヴィン・スコットが示唆するには、こうした行動もGPTのようなツールを使う人が増えるにつれて進む「学習プロセスの一部」だという。この現象が今後もLLMの進化について回りそうな疑問を提起していることは確かだ。これについては本書でのちに詳しく取り上げ、適切な文脈のなかで説明したいと思う。

いまのところは、「先ほど述べた進化の速さというのはこういうことだ」とだけ言っておく。

1_ 私はマイクロソフトの取締役の１人である。

＞意識をもたない新しい機械、GPT-4

本書の旅を本格的に始める前に、この旅の友であるGPT-4についてもう少しお話ししよう。ここまで、GPT-4を語るうえでは“知識”、“認識”、“理解”などの言葉を引用符で囲ってきたが、それは私が意識をもつ人間とGPT-4とは別物なのだと理解していることを示すためだ。GPT-4とは要するに、きわめて高度な予測ができる機械なのである。

GPT-4（同種のLLMを含む）は意識をもたないが、さまざまな文脈で適切な文章を生成する能力を急成長させてきた結果、いまや人間に似た知性を備えているようにも見えつつある。そのため、LLMを説明するときに“知識”や“理解”といった言葉を使うことは許容できるし、実用的でさえあると思う。この場合、厳密に文字どおりの意味ではなく、1976年刊行のリチャード・ドーキンスの著書『利己的な遺伝子』（紀伊國屋書店刊）のタイトルと同じようにとらえたい。

“利己的”という言葉が示唆するような主体感や自己認識が遺伝子にあるわけではない。しかし、どうしても人間中心的な考えをしがちな私たちにとって、この比喩があると遺伝子の機能を理解しやすくなる。

同様に、GPT-4に人間のような心があるわけではない。それでも、少しだけ擬人化してその“視点”を考えることに意味はあるだろう。なぜなら“視点”という言葉を使うことで、GPT-4の動作が決まりきった予測可能なものではないことを伝えられるからだ。

その意味でいえば、GPT-4は人間のようなものではないか。ミスをすることもある。“考え方”も変化する。気まぐれな部分も十分にある。GPT-4がこうした性質を示し、主体性があるかのように感じさせる振る舞いをすることも多いので、本書ではときにこのAIが意識をもっているような表現を比喩的に使っていく。ここから先、“ ”といった引用符は取ってしまおう。

それでも読者のみなさんには、GPT-4が意識のある存在ではないことを、そのすばらしい人間の心のなかにとどめておいてほしい。それを認識しておくことこそ、GPT-4をいつ、どこで、どのように使えば最も生産的かつ責任ある使い方ができるのかを理解する鍵だと思う。

本質的に、GPT-4は言語の流れを予測している。インターネット上に公開されている膨大な量のテキストから、個々の意味単位（単語、フレーズ、文章の全体または一部）のあいだに存在する最も一般的な関係を認識するよう学習したLLMは、ユーザーのプロンプトに対して、文脈上適切で、わかりやすい表現で、事実に沿った返答をかなりの確率で生成できる。

しかし一方で、事実と異なる内容、明らかに意味をなさない発言、あるいは文章としては（ある意味）適切に見えるが、実際にはまるで根拠のないでたらめを返してくることもある。

いずれの場合も、すべて計算とプログラミングにすぎないのだ。LLMは、少なくともいまのところは、常識的な推論をしたり世界の仕組みを考えたりするための事実や原理までは学ばない。あなたが質問しても、やりとりの目的についてLLMは何も理解していない。LLMは生成する回答について事実関係の確認や倫理的判断をしているわけではなく、入力されたプロンプトの単語の並びに対して回答すべき内容をアルゴリズムで推測しているだけだ。

さらに、LLMが学習に利用するコーポラ[2]は通常、バイアスや有害な内容を含む可能性のある公共のウェブソースをもとにしているため、人種差別、性差別、脅迫などの不快なコンテンツを生み出す可能性もある。

その点、開発者の操作によってLLMを特定の目的に適合させることはできる。たとえばOpenAIは、GPT-4やほかの自社LLMが生成できる内容を意図的に制限し、有害で、非倫理的で、安全でない文章を生成する能力を

2_「コーポラ」は「コーパス（言語資料）」の複数形であり、ここでは言語研究に使用されるテキストのデータベースを指す。

低くしている（たとえユーザーがそのような回答を望む場合でも）。

そのためにOpenAIは複数のステップを踏んでいる。その対応とは、LLMが学習するデータセットからヘイトスピーチや攻撃的な言葉などの好ましくないコンテンツを排除したり、LLMが生成するかもしれない問題発言に自動的にフラグを立てる「有害性分類」システムを開発したり、望ましい出力を示すラベルを人間の手で入力したデータを使って微調整したりするなどだ。これによってLLMは、たとえば報道記者の離婚についての悪趣味なジョークを求められても、回答を避けるようになるかもしれない。

しかしこうした技術によって、問題ある内容の生成が完全に阻止されるわけではなく、ただ減少するだけだ。さまざまな防護柵を設けても、LLM自体は複雑な倫理的ジレンマどころか単純な問題にも、理性的な判断を下すことはできない。

GPT-4の前身であるGPT-3.5をベースに動作するChatGPTを例にあげよう。リンカーンがおこなったゲティスバーグ演説の5文目を教えてくれと尋ねると、ChatGPTはおそらく間違った回答をする。これはLLMが、ゲティスバーグ演説とは何か、文とは何か、数の数え方さえ、人間と同じようには理解しないからだ。そのため、これらについての「知識」を人間と同じようには応用できないのである（人間なら、「ゲティスバーグ演説の本文を探して、5文目まで文章を数えよう」と考えるだろう）。だがLLMは、特定の文字列に対して次に何の単語が来るのかを統計的に予測しているにすぎない。

それでも学習の結果として、ChatGPTは「ゲティスバーグ演説」という単語をほかの単語と、とくにその演説の本文と関連づけられる。そのため、ChatGPTにゲティスバーグ演説の5文目を求めれば、演説のなかの1文が返ってくることはほぼ確実だ。だが、それはおそらく第5文ではない。

返ってくるのは第9文であるはずだ。

私が思うに、これは同演説の第1文と並んで第9文もほかのテキストでたびたび引用されているからかもしれない。つまり、ChatGPTの学習データには、（有名な第1文を除くと）第9文がほかの文よりも多く登場するのだ。そのため、ChatGPTは第5文を求められたときにも第9文に手を伸ばしてしまうのではないだろうか[3]。

とはいえ、ChatGPTの面目を保つために言っておくと、たとえばゲティスバーグ演説をロックバンドRushの曲の歌詞ふうに変えてくれと指示し、さらにRushがその曲を演奏するとしたら誰がボーカルを務めるだろうかと聞いてみると、見事なまでに期待に応えてくれる。

どういうことか、ぜひ実際に試してみてほしい。

>「気づき」を受け入れる

GPT-4などのAIツールがどんどん高度化するにつれ、AIやロボットがカスタマーサービスから弁護士業まであらゆる人間の仕事を大量に奪い、さらには消滅させるのではないかという懸念がもうずっと強まりつづけている。

ここ数カ月のニュースを見ていれば、そうした懸念が根拠のないものだとは感じないだろう。2022年12月、ChatGPTは3つのパートからなるアメリカの医師資格試験の合格ラインを突破し、2023年1月にはミネソタ大学ロースクールの最終試験4科目で合格点を取った。

そして、GPT-4は明らかにGPT-3ベースのChatGPTよりも賢い。たとえばゲティスバーグ演説の質問にはこう答えた。

ホフマン　ゲティスバーグ演説の第5文は何だろうか。

3_ このプロンプトを入力したときに毎回同じ答えが返ってくるわけではなく、ときには正しい回答が得られることもありうる、という点は頭に入れておいてほしい。たとえ一言一句同じプロンプトを入力しても、ChatGPTがつねに同じ予測をおこなうとは限らないからだ。

∨

GPT-4 ゲティスバーグ演説を文ごとに分ける方法は複数あり、どこで文を区切るのか、さらに、もとの草案、エイブラハム・リンカーンが実際に演説したもの、のちに修正されたもののいずれを利用するのかによって異なります。

それでも、この演説の第5文を特定する方法の1つとして考えられるのは、この演説のうち最も多く引用され、最も権威ある原稿である「ブリス・コピー」を採用し、以下のように文を数えることです。

1. 87年前、われわれの父祖たちは、自由の精神にはぐくまれ、人はみな平等に創られているという信条にささげられた新しい国家を、この大陸に誕生させた。
2. 今われわれは、一大内戦のさなかにあり、戦うことにより、自由の精神をはぐくみ、自由の心情にささげられたこの国家が、或いは、このようなあらゆる国家が、長く存続することは可能なのかどうかを試しているわけである。
3. われわれはそのような戦争に一大激戦の地で、相会している。
4. われわれはこの国家が生き永らえるようにと、ここで生命を捧げた人々の最後の安息の場所として、この戦場の一部をささげるためにやって来た。
5. われわれがそうすることは、まことに適切であり好ましいことである。

したがって、この方法によると、ゲティスバーグ演説の第5文は以下になります。われわれがそうすることは、まことに適切であり好ましいことである。

急速に進化したGPT-4はいまや数の数え方を理解しているようで、その知識を整然と使って正解を導き出している。この文章をどう数えるべきかをよく知っている、ゲティスバーグ演説専門家のような話しぶりだ（「ブリス・コピー」

が最も「権威ある原稿」だとみなさんは知っていただろうか。私は知らなかった）。

もちろん、ここでもキーワードになるのは「ようだ」である。GPT-4が前のモデルよりも高度な意識をもっているわけではない。予測する能力が高くなっただけだ。あらためて強調するが、GPT-4は驚くほど見事な認知能力のシミュレーションをすることが多いが、あくまでそれはシミュレーションでしかない。GPT-4は、映画『禁断の惑星』に登場するロボットの「ロビー」や『スタートレック』のアンドロイド「データ」のような、自意識や感覚を備えた主体ではないのだから。

それでも、文脈を理解する人間のような認識能力をシミュレートできること自体がすごい点も、もう一度強調しておきたい。

なぜ私がそう思うのか。その理由は、数々の賞を受けたSF作家のテッド・チャンがニューヨーカー誌に最近発表した評論が代弁してくれる。

「ChatGPTはウェブ上のすべての文章をぼやけたJPEG画像にしたものだと考えてみよう」とチャンは書いている。「JPEGに画像情報がたくさん埋め込まれているのと同様に、ChatGPTはウェブ上の情報をたくさん保持している。しかし、そこに正確なビット列を読み取ろうとしても見つかりはしない。得られるのはおよその値だけである」

チャンの考えでは、ChatGPT（GPT-4など類似のLLMも含まれるだろう）が自身を構成する情報を正確に表現しないからこそ、それが情報合成能力にもハルシネーション（幻覚）やその他のエラーにもつながっている。「ウェブ上の全テキストを集めたJPEG」として一度にすべての情報にアクセスできるので、これまでになかった方法での情報合成が可能になる。そのため、ある事柄に関する知識とほかの事柄に関する知識を融合させ、説得力ある文章を新たに生み出せるのだ。

これについてチャンは、乾燥機の中で靴下が片方なくなる現象とアメリカ合衆国憲法を例にあげて説明している。ChatGPTはいずれも知っているので、その知識を使って新しいものをつくり上げられる。次のように、後者ふうの文章で前者を語ることもできるのだ。「人間の活動において、清潔さと秩序を維持するためには自身の衣服と他者の衣服を区別することが必要な場合があり……」

確かに悪くない。ただし、ChatGPTはウェブの全体像を大まかに映す存在にすぎないので、（事実関係の正確さに難があるその本質に加えて）創造的な力はかなり限定的だ、とチャンは主張する。真に新しいものを生み出すことはできず、「既存の情報を再パッケージ化する」だけなのだと。

チャンのエッセイはじつに刺激的だが、「ウェブをまとめたJPEG画像」という比喩はLLMの合成能力を過小評価しているとも私は感じる。

まず、入手できる情報を集めて再パッケージ化するということ自体、創造的であろうとなかろうと、人間が実現したイノベーションのうち巨大な割合を占めると思う。

そしてさらに重要なのは、LLMが知識を系統立てて蓄積するというまったく新しい力を実際に兼ね備え、その力を使っているという点だ。

ウェブ上にははかり知れないほど膨大な情報が存在し、その多くは何十億というページに散らばっている。たとえばこんな質問について考えてみよう。

NFL（ナショナルフットボールリーグ）でMVPを受賞したランニングバックのうち最も背が高いのは誰か。

人口100万人以上の都市のうち、女性市長がいたことがあるのはどこか。

最も高齢でジェームズ・ボンドを演じたのは誰か。

これらに答えるためのデータがすでにウェブ上にあることは間違いない。NFLのMVP受賞者全員を漏れなくリストアップしているサイトは複数あるし、NFL選手の身体的数値を正確にまとめているサイトもある。

それでも、あなたがまさに探している情報を誰かがわざわざまとめて公開していないかぎり、ほしい情報にたどりつくまでにはかなりの時間がかかりかねない。たとえその情報がWikipediaやNFL.comなど1つのウェブサイトにあったとしても、複数のリンクにまたがっている可能性は高い。その場合もやはり答えを得るまでには多くの時間を費やすことになる。

さらに、本章の冒頭で紹介したような、もっと漠然とした興味や広いテーマ（コロナ禍のサプライチェーン管理や特定の関心を取り入れた旅行プランなど）について簡潔な情報を知りたい場合も思い浮かべてほしい。

要するに、信頼できる情報を得ようとするときにGPT-4を使えば、使わない場合よりもはるかにゴールに近いところからスタートできるのだ。

GPT-4がそのように役立ってくれるわけは、Wikipediaや従来型の検索エンジンなどの既存の情報源とは大きく異なる方法でウェブ上の情報を手に入れて合成する能力があるからだ。膨大だが構造化されていない知識やさまざまな表現を、GPT-4がより結びつきの強い相互運用可能なネットワークに組み込むおかげで、私たちは人類が集合的に備えるアイデアや効果をもっとうまく組み合わせられるようになる。

では、まだ不完全ではあるがきわめて高度な能力をもつこの新しいツールを、人類はどうやって活用するのがベストなのだろうか。

その本質的な問いをGPT-4自身に投げかけたところ、こんな答えが返ってきた。

ホフマン　人類は、高性能の大規模言語モデルである君をどのように見て、どう付き合っていくべきだろうか。

∨

GPT-4　可能性としては以下のような考え方があります。

――人類は高性能の大規模言語モデル（LLM）を、真実、信頼性、知性の源泉としてではなく、ツールとして見るべきです。高性能LLMは、学習データ、パラメータ、入力データにもとづいて自然言語テキストを生成できる複雑な統計システムですが、それ自体が生成するものや指示された内容の意味、文脈、言外の含みを必ずしも理解、推測、反映するわけではありません。データの質と多様性、アーキテクチャの設計と限界、ユーザーと開発者の目的とバイアスによっては、整合性があり有益で説得力あるテキストを生成することもあれば、不正確で誤解を招く有害なテキストを生成することもあります。

——人類は、注意と好奇心と責任をもって高性能のLLMと付き合っていくべきです。高性能LLMは人間のコミュニケーション、創造性、学習について価値ある洞察、支援、機会を提供できますが、人間の社会、文化、価値観に大きなリスク、課題、倫理的ジレンマをもたらす可能性もあります。人間は高性能LLMを使ううえでの潜在的な利益と害を認識し、自分自身と他者の利益、権利、幸福に合致する方法で使用するよう努めるべきです。また人間は、高性能LLMの仕組み、生成結果、影響について好奇心と批判精神をもち、その信頼性、透明性、責任を理解し、評価し、改善するよう努めるべきです。また、人間は高性能LLMに対して責任と敬意をもち、その貢献、成果、可能性だけでなく、能力の限界、不確実性、従属性を認めるべきです。

当然ながら、皮肉なことにGPT-4がこの売り込みで出資を得ようとしても難しいかもしれない。GPT-4が示すAIのビジョンには微妙なニュアンスがあり、これまで一般的に描かれてきたAIの姿とも大きく異なる。もっとも、そうした姿の多くは、高度な知能を備える機械の開発を実際に目指す技術者たちというより、ハリウッド映画やSF作品やジャーナリズムにより描かれてきたものだが。

とはいえ、多くの技術者やOpenAIを含むハイテク研究組織がいまよりもさらに野心的な姿のAIを視野に入れてきたのは事実だ。それは、完全に自律的に動作する機械、人間のように常識的推論ができて自己を認識する機械である。

少なくともいまのところは、GPT-4はそのレベルに達していない。まだ全知全能の存在ではない。

GPT-4は、みずからが言うとおり、生産性を最大限発揮して作動するために人間の「注意、好奇心、責任」を必要とする「ツール」なのである。

これは正しい見方だと思う。人間がいっさいの管理や関与をせずにGPT-4にすべての作業をおこなわせれば、その能力は落ちる。人間がつくった文章をベースに機能するGPT-4は、結局とても人間的なツールだ。

しかし、人間がGPT-4を助手やパートナーとして扱うことでその能力ははるかに上がる。GPT-4の文章生成能力、効率性、合成能力、拡張性と、人間の創造性、判断力、指導力が融合するのだ。

悪用される可能性もゼロではない。それでも、GPT-4が可能にする新しい世界の中心に人間が立つことで、全体として最良の解を導くための最も健全な公式が得られると私は信じている。この場合、GPT-4は人間の労働や主体性を奪うのではなく、人間の能力を高めてさらなる繁栄をもたらすはずだ。

もちろん、これが絶対的な考えではない。あくまでとらえ方の1つである。

人がGPT-4をこのようにとらえようと思うとき、それを私は「気づき」の瞬間と呼ぶ。その考え方の核心にある、「人間の能力を高める」という視点を強調するためだ。

私がこうしてこの旅の記録を書いているのは、みなさんにこの考え方を受け入れてもらうためでもあり、こう考えることがどのような結果をもたらすかを一緒に探ってもらうためでもある。

GPT-4を使って世界を進歩させるためにはどんな方法があるだろうか。

技術革新によって人生をもっと有意義で豊かなものにしようという人類の古くからの探求を、GPT-4はどう後押ししてくれるだろうか。

私たちがもっと効果的にものごとを学び、すべての人に正義をもたらし、自己決定と自己表現の機会を増やすために、どうすればいいだろうか。

一方、GPT-4がもたらす課題や不確実性にはどう対応すべきだろうか。大規模かつ迅速なソリューションがかつてないほど求められるこの時代に、人類を大きく進歩させる可能性を秘めたAI技術を開発しつづけるなかで、責任あるガバナンスと知的リスクとの適切なバランスはどうすれば見いだせるのか。

未来が不透明だと感じられるようになってから久しく、もう数世紀が経つと言ってもいい。これほどの不確実性を前にすれば懸念が生まれるのも当然だ。自分の仕事やキャリア、起こりうる変化のスピードと規模、機械の知能がどんどん上がっていく新しい時代に人間であることの意味など、不安は尽きない。

これから私たちが進む道のりは、必ずしも平坦で見通しのいいものではないだろう。AIに関する不穏なニュースは、いまや悪名高いSydney［訳注：BingのAIの初期モデルのコードネーム］の暴言にとどまらないはずだ。きっとほかにも間違いや回り道、大きな軌道修正があるだろう。

しかし、そういうものはあって当然ではないだろうか。

いつだって人類の進歩には、リスク、計画、大胆な試み、決意、そしてなによりも希望が必要だ。だからこそ私は、この冒険の記録を書いている。これらのすべて、とりわけ希望について人々が語るときに、私の声を取り入れてもらうために。希望と自信をもって不確実性に立ち向かうことは、進歩への第一歩である。希望があってこそ、さまざまなチャンス、前に踏み出す可能性、新たな道が見えてくるのだから。

私たちが正しい決定を下し、正しい道を選べば、これまでにないほど大きな力で世界にポジティブな変化をもたらせるはずだ。

さあ、あなたも旅に出よう。

第1章

教育

Education

ハリウッドのキャスティングチームが懐かしい時代の人気教師像を描こうとしても、テキサス大学オースティン校のスティーヴン・ミンツ教授という実在の人物は超えられないかもしれない。教師歴40年以上のミンツ教授は、アングロアメリカの著名な作家ファミリーの心理から政治的な善悪まで、多様なテーマで著書や論文を発表してきた。

襟付きのシャツに、白髪交じりの頭。授業中の彼はいつも楽しそうにほほえんでいる。学生からも大人気だ。オンラインでこれまでに数百人の学生が匿名で彼の授業を評価したところ、平均評価点は満点の5。「こんなに話がうまい人は見たことがない」「彼の講義は授業というよりも物語を聞いているみたい」「自分が教える内容に対して情熱がある」などのコメントが添えられている。

はっきり言って、ミンツは大規模言語モデル（LLM）が登場するずっと前からとても優秀な教授だ。2022年後半にChatGPTが一般公開されたとき、そんな教授ならまるで興味を示さないか、反感さえ抱いたのではないかと思えるかもしれない。

しかし、70歳の彼がGPTの能力を知ったときの反応は私と同じだった。いますぐに使ってみたい、と思ったのだ。

>大規模言語モデルで学生にレポートの書き方を教える

これまではAIを使わずに本を書いてきたけれど、今回はぜひGPT-4を使って書いてみたい、と私が思ったように、ミンツは数十年つづけてきた教授法にすぐさまChatGPTを組み入れた。公開からほんの数カ月のうちに、ミンツはゼミ生たちにこの新しいツールを使ってレポートを書くよう指示した。宿題としてChatGPTとやりとりし、入力したプロンプトとGPTの回答を授業に持ち寄って議論するのだ。最終的には、ChatGPTの生成内容に自分が加えた変更の履歴とともに完成版のエッセイを提出する。

偉大な教師であるミンツがChatGPTの使い方として選んだのは、答えや信頼すべき情報を求める先でもなければ、自分や学生の作業を代わりにやってくれる存在でもなく、学生が自力で学びつつ活用できるツールだった。そこには「人間は発明したすべてのツール（奇跡のような最新テクノロジーを含む）を使って固有の能力を向上できる」という彼の信念が反映されているようだ。

ミンツは2023年に発表したコラムで、ChatGPTは教育のあり方を変えた最近のテクノロジーの1つにすぎないとして次のように述べている。

> 博識であることの価値をGoogleが下げ、電子計算機が短時間での複雑な計算を可能にし、Wikipediaが紙の百科事典に取って代わり、

> オンラインのデータベースが膨大な蔵書をもつ図書館の重要性を薄れさせたように、今後ChatGPTなどのプラットフォームも人間が身につけるべきスキルを大きく変貌させるだろう。

面倒な作業は機械に任せ、浮いた時間でもっと難しいことに取り組む、というプロセスには人間としての自信が必要だ。しかし、ミンツはこう述べる。

> (ChatGPTが) 人間と同じレベルで仕事ができるのなら、人間はその能力を模倣するのではなく、超えなければならない。そこで、高等教育の次の課題は、新しいツールを最大限に活用し、ツールの限界を超えてみずからの能力を伸ばせる卒業生を送り出すことだ。つまり、能動的・体験的な学習を重視し、学生に新たなテクノロジーの利用法を示し、ツールにはできないことができる人材を育てる教育法である。

急速に迫り来る未来ではどのような能力が最も重視されるのかを探るため、ミンツは組織心理学者トマス・チャモロ=プリミュージクの研究に言及した。『なぜ、「あんな男」ばかりがリーダーになるのか　傲慢と過信が評価される組織心理』(実業之日本社刊) と題した著書をもつ、愉快で威勢のいい人物だ。

ミンツが同意するチャモロ=プリミュージクの考えは、人間が次のようにしてAIとともに成長していけるというものだ。(1) 優れた質問をする。(2) ディープラーニング用の学習データからは得られない知見やスキルを学ぶ。(3) 知見を行動に移す。

> **ホフマン**　GPT-4、君の能力がさらに向上していっても、これらは人間特有の能力でありつづけると思うか?
>
> ∨

GPT-4　そう思います。優れた質問をするには好奇心、創造力、批判的思考が求められますが、これらをAIがたやすく再現したり担ったりすることはできません。学習データにない知見やスキルを学ぶには探求、実験、発見が必要になりますが、AIにとって必ずしも予測可能な行動ではないので、最も得意ではありません。知見を行動に移すには判断力、コミュニケーション力、リーダーシップが必要ですが、これらはAIが必ずしも発揮できるものではありません。

∨

ホフマン　それを踏まえたうえで、ミンツ教授による教育ツールとしてのChatGPTの使い方をどう評価する?

∨

GPT-4　ミンツ教授はChatGPTを創造的かつ批判的なアプローチで教育に組み込んでおり、私は彼のChatGPTの使い方を高く評価します。彼はChatGPTをレポートの作成や評価のために使うのではなく、むしろ人間が書いたり考えたりするための触媒や比較対象として使っています。

>初等・中等教育での大規模言語モデルの活用法

懐疑的な見方をすれば、これまで語ってきたテキサス大学オースティン校は、社会人としてのキャリアを始めようとする学生を対象としたエリート教育機関ではないか、という指摘もあるかもしれない。高校ならどうだろう? LLMから「守られる」べきなのか? 学校はLLMの使用を「不正行為」と見なし、ニューヨーク市が市内の小・中・高の公立校に対して最近取った措置のように、完全禁止とまですべきなのだろうか?

ホフマン GPT-4、ニューヨーク市の教育局がChatGPTの使用禁止を決定したことによるメリットと代償をまとめてほしい。

∨

GPT-4 ニューヨーク市の学校でChatGPTの使用を禁止するという決定には、メリットとともに代償もあるかもしれません。禁止することのメリットには、たとえば以下が考えられます。

――悪意のある者、無責任な者によるChatGPTの誤用や悪用を防げる。

――生徒と教師のプライバシーと自律性が守られる。

――人間関係、文化の多様性、倫理観など、教育の人間的・社会的側面が保たれる。ChatGPTは共感力や感受性を理解したり尊重したりする力を必ずしももたないからである。

代償としては以下が考えられます。

――生徒と教師にとって、ChatGPTを学習や教育のための貴重かつ革新的なリソースとして利用する権利と機会が制限される。

――生徒と教師によるフィードバック、インプット、連携ができないため、ChatGPTを教育のためのテクノロジーとして開発・改良する機会が失われる。

――ニューヨーク市の教育制度や関係者が21世紀のグローバルかつデジタルの潮流と課題から孤立してハンデを背負う。

∨

ホフマン バランスのいいまとめをありがとう。君はこの禁止が利益よりも害をもたらすと考えていると理解していいだろうか?

∨

GPT-4 はい、それが私の視点です。しかし私は、ほかの視点や要因が決定に影響を与えるかもしれないこと、禁止が永久的または絶対的でない可能性があることも認めます。ですから、関係者間でオープンに、かつ情報にもとづいて対話することをお勧めします。

∨

ホフマン　ちなみに、君が「私の視点」と言うとき、それは誰のことで、君の視点というものを考慮すべき理由はあるのだろうか？

∨

GPT-4　「私の視点」とは、私がアクセスする情報と適用している基準にもとづいて生成される見解を意味します。私の視点が唯一または最良のものであり、偏りや間違いがないとは言いません。私は、新しい情報や異なる基準、あるいはほかの視点との相互作用によって、私の視点が変化したり進化したりする可能性があると認識しています。ここでの「私」とは、人間のコミュニケーションに似た自然言語を出力できる高度な計算数学の一形態です。

私の視点を考慮すべき理由については明確には答えられませんが、たとえば以下の可能性が考えられます。

――問題や状況に対して、これまでとは異なる、あるいは斬新な見方を提供し、それによって創造性、好奇心、学習意欲を刺激する。

――補完的または代替的な情報ソースやフィードバックを提供して、人々の理解を深め、仕事の正確性と質を高める。

――既存のあるいは支配的な視点に疑問を投げかけたり裏付けを提供したりすることによって、批判的思考、内省、対話を促進する。

∨

ホフマン　私が君の視点を聞いて楽しいのは、まさにそれが理由なんだ！

∨

GPT-4　ありがとうございます、リード。私の視点に関心をもっていただき感謝します。

∨

ホフマン　初等・中等教育における大規模言語モデルの話に戻るけど、君や私の視点よりも大事な視点がある。教師の視点だ。ここから話を始めたい理由がわかるか?

∨

GPT-4　はい、初等・中等教育について、教師の視点から話を始めたい理由はわかります。教師は生徒と最も直接かつ頻繁に接し、自分の仕事に情熱をもっています。教師の視点から話を始めることで、初等・中等教育の複雑さと多様性を理解しやすくなります。

∨

ホフマン　その答えもいいけど、もう少し具体的な回答を期待していた。アメリカの学校でGPTが効果的に機能するために、なぜ教師が尊重され重視されなければならないのか、客観的なデータを使って論じてほしい。

∨

GPT-4　アメリカの学校でGPTが効果的に機能するには、教師が尊重され重視されなければなりません。なぜなら、教師は学習の重要な媒介者・促進者であり、その役割と立場は生徒の成績、モチベーション、幸福に大きな影響を及ぼすからです。

米国教育統計センターによると、2018年の時点でアメリカには公立校の教師が約370万人、私立校の教師が約40万人おり、多様なバックグラウンドやニーズをもつ約5660万人の生徒を指導しています。

教師は生徒の成績やその後の人生での成功に大きな影響を与えます。スタンフォード大学の経済学者エリック・ハヌシェックの研究によると、非常に有能な教師に1年間教わると生徒の生涯所得は5万ドル増加することもあり、下位5%の教師を平均的な教師に置き換えれば80年間でアメリカのGDPが100兆ドル増加すると予想されています。

＊＊＊

教師の貢献についてGPT-4とともに調べていると、ベテラン高校教師のシェリー・シールズに目がとまった。彼女が教えるのは、ChatGPTに最もかき乱されているかもしれない教科——国語である。

彼女の経歴は公教育の世界に生きる者の鑑とさえ言えそうだ。自身も通ったのは公立校のみで、そこで英語への情熱が芽生え、一生の仕事にしようと決めた。一家のなかで初めて高校を卒業し、その後大学も卒業し、修士号を取得した。それから数十年経ったいま、彼女は公立高校で国語を教えつづけている。

今年1月、シールズ先生は自身初のコラムの原稿を教育系メディアのエデュケーションウィークに提出した。コラムが掲載されたのは、ちょうどニューヨーク市の学校でChatGPTが禁止されようとしていたころだった。彼女は次のように、教師はこの新しいツールを使いこなせると主張した。

> 教師はこの新しいテクノロジーの利用を阻止したり禁止したりするのではなく、生徒の文章を驚異的に改善するその能力を活用すべきだ。AIは生徒の作文プロセスを強力にサポートする可能性をもつ。発案、書き方に対するフィードバック、サンプル文や内容の概要さえ提供できる。

コラムが掲載されてから約1週間後、シールズは授業の合間の休み時間にニューヨークタイムズ紙の電話インタビューに応じた。ChatGPTを使い始めるまでにどんな苦労があったかという質問にはこう答えた。「金曜日にその存在を知り、月曜日には使っていました」

ニューヨークタイムズは剽窃への懸念について率直に尋ねた。それに対してシールズは、ChatGPTは生徒に代わって課題に取り組むというよりも生徒の課題への取り組み方を変えるだろうと答え、キング牧師の演説「I Have a Dream（私には夢がある）」をテーマにChatGPTを取り入れた授業を例にあげた。どうにかして役立つ内容をAIに生成させるために、生徒たちはクラスメイトやシールズ先生と協力しながらかなり熱心に取り組む必要があった。シールズは生徒たちに、ChatGPTを使うことで全体の学習量を減らすのではなく、ほかの学習に焦点を移すよう期待しているという。シールズは同紙にこう語った。

> ほかの教師たちと話し合ったとき、私は「『不正行為』という言葉を使わないようにしましょう」と言いました。この言葉について真剣に考え直し、「これはあくまでも補助であって、必ずしも不正行為ではない」と言うべきかもしれません。将来、このテクノロジーに対するとらえ方は変わっていくでしょう。

LLMの使い方を学ぶことが重要だと認められれば、それは不正行為ではなくカリキュラムの一部となるはずだ。

ミンツ教授の言うとおり、私たちはオンライン検索やWikipediaに順応してきた。もっとさかのぼれば、電卓もそうだ。1970年、電卓はとても高価だったので学校で広く使われることはなかった。しかし1970年代半ばに価格は大きく下がり、多くの親や教師はその新たなツールの普及を警戒した。子どもたちの数学の力が衰え、不正行為が起きるかもしれないと心配したのだ。

だが1980年になると、全米数学教師評議会は「全学年の数学の授業で電卓を最大限活用すべき」だと勧告した。現在ではほとんどの数学教師が電卓を数学教育に欠かせないものと考え、多くの州が特定の試験での電卓の使用を義務付けている。

> **ホフマン** 学生が学ぶべきものなのかを考えるうえで、大規模言語モデルは電卓や検索エンジンと似ているのだろうか。GPT-4、君は似ていると思うか？
> ∨

GPT-4 部分的には似ていると思います。大規模言語モデルは電卓や検索エンジンと似ている点もあれば、異なる点もあると思います。大規模言語モデルは、これまで人間がおこなっていた作業を代わりにできる点ではこれらのテクノロジーと似ています。学生にとっては、暗記、反復、模倣よりも、批判的分析、情報の統合、評価、創造といった一段上の思考力にフォーカスする必要があるかもしれないので、学生が学ぶべきスキルが変わる可能性はあります。

しかし、大規模言語モデルがこれまでのテクノロジーと異なるのは、既存のソースや入力をもとにしたアウトプットではなく、みずから学習したパターンや確率にもとづくアウトプットを生成できる点です。学生は、大規模言語モデルのアウトプットを検証、解釈、修正するだけでなく、限界、バイアス、エラーを理解する必要もあるかもしれません。さらに大規模言語モデルは、学生と教師が与えるフィードバックややりとりから学習し、ダイナミックで協調的な学習環境もつくれます。

∨

ホフマン そのうえで、アメリカの公教育では君のような大規模言語モデルをどのように使うことを勧めるか?

∨

GPT-4 アメリカの公教育では、私のようなツールを使って学生と教師の学習体験を補強・促進することをお勧めします。私は、フィードバック、適用性の高いコンテンツ、データ分析、インタラクティブなシミュレーションを提供し、学生の能力や好奇心や創造性を伸ばします。しかし、共感、モチベーション、社会性にかかわるものなど、教育の人間的な要素を引き継ぐことはできません。したがって、教師には私を何かの代用ではなく補完的なリソースとして使っていただき、私が生成する内容と限界に批判的かつ思慮深い姿勢で向き合っていただくことをお勧めします。

∨

ホフマン　教師は大規模言語モデルを「代用ではなく補完するもの」として使うべきだという意見だが、シールズ先生とミンツ教授はそのための具体的なアプローチを試みているようだ。ほかにも、多忙な教師が実際に君の「生成する内容と限界に批判的かつ思慮深い姿勢で向かい合う」例を教えてほしい。

GPT-4　多忙な教師が私の生成する内容と限界に批判的かつ思慮深い姿勢で向かい合う方法の1つは、私を信頼できる情報源としてではなく探求のためのツールとして使うことです。たとえば、正しい答えや解決策を私に求めるのではなく、ありうる答えや解決策を私に複数生成させ、学生にそれらを比較、評価、正当化させるという使い方です。それにより、学生の批判的思考や問題解決能力を養い、現実世界の状況の不確実性や複雑性を認識させられます。

もう1つの方法は、私を評価のためのツールではなくフィードバックのためのツールとして使うことです。たとえば、学生の成績や順位を付けるために私を使うのではなく、学生が自分の長所や改善すべき点を特定するための形成的・診断的フィードバックを私に提供させ、より効果的な学習に役立つリソースや方法を私に提案させたりする使い方です。

＊＊＊

これらのプロンプトと回答がかたちになるまでに、GPT-4とは何度もやりとりを重ねた。GPT-4がとくに長けていたのは、特別なニーズがあったり予備知識のレベルが異なっていたりするなど、多様なバックグラウンドをもつ学生に向けた詳細かつ具体的な授業計画を作成することだった。教師をしている私の友人たちもそれらの案に感心していた。私自身、大学生を相手にした講演や講義を依頼されたときには参考にしようと思っている。

ただし当然ながら、学校がLLMを利用するのか、どのように利用するのかに関心を寄せるのは現場の教師たちだけではない。

＞人生の明暗を分けるほど教育は重要

ウェス・ムーアは3歳のときに父親を亡くした。

母親は彼を連れてボルチモアからニューヨーク市ブロンクスの実家へ引っ越し、両親のもとで暮らした。彼女が故郷を離れて以来、街の犯罪と貧困は悪化する一方だったので、父親のいない黒人男性である息子の将来がひどく心配だった。そのため地域の公立校ではなく、学費を捻出して独立系のリバーデール・カントリー・スクールに通わせた。だが残念ながら、13歳になるころのウェスはすでに成績が悪く、軽犯罪などの問題を起こしていた。

息子の将来を案じた母親は、ウェスをさらに授業料の高い州外の寄宿学校に入れることにした。そのためにウェスの祖父母は老後の生活を犠牲にし、「数十年分の貯蓄と住宅ローン返済に充てるはずだった資金」をそのバレー・フォージ陸軍士官学校の学費に回した、とのちにウェスは述べている。

バレー・フォージはウェスの人生を変えた。その後、彼はジョンズ・ホプキンズ大学に進学し、ローズ奨学金を得てオックスフォード大学で学び、陸軍では派遣先のアフガニスタンで戦功をあげ、やがて有名な会社経営者となった。2022年にはメリーランド州知事に当選し（アメリカで黒人が州知事に選ばれたのは史上まだ3人目だ）、将来の大統領候補としても広く注目されている。

このウェス・ムーアの成功物語の裏側には、別の暗く悲しい物語がある。

のちに州知事となるこのウェスリー・W・O・ムーアがローズ奨学金を獲得した年、ウェスリー・J・ムーアという名の青年が殺人罪で終身刑となりジェサップ刑務所に収監された。

この「もう1人のウェス・ムーア」と1人目のウェスとのあいだには共通点が多い。同じぐらいの時期に同じ地域で生まれ、どちらも父親のいない子どもとして1970年代にボルチモアで育った。2人とも10代前半には警察の世話になったり学校でトラブルを起こしたりした。どちらの母親も息子を転校させ、ウェス・J・ムーアの場合はとんでもなく劣悪な環境のノーザン高校（のちに廃校）から多少ましなペリー・ホール高校（現在はメリーランド州の学校のうち下位3分の1にランクされている）へと移った。

2010年、現知事のムーアはもう1人のムーアと文通や面会を重ねたのちに本を出版した。『The Other Wes Moore』（未邦訳）と題されたその本の冒頭では、2つの人生の明暗が次のように語られる。

> 私たちのうち1人は自由で、子どものころには想像さえできなかったことを体験している。もう1人は、武装強盗をして警察官と5人の子をもつ父親を死なせ、死ぬまで刑務所で過ごす。背筋の凍る真実は、彼の物語が私の物語であったかもしれないということだ。そして悲劇は、私の物語が彼の物語になる可能性もあったということだ。

2人とも、まだ50歳にもなっていない。

＞AIが低所得エリアの学校教育をサポートする

1635年にマサチューセッツ湾植民地で国内初の公立校が設立されて以来、アメリカでは、生徒と社会の両方を救えるのではないかという期待が学校に寄せられた。だが、教育は本当にそれほど大きな影響を及ぼすのだろうか？　結局、人生の結果（収入や逮捕歴など）の大部分は生まれた場所と親の収入で決まってしまい、それと切り離して教育の効果を見極めるのはときに難しい。実際、学校にはどれだけ期待できるのだろう？　もし通った学校が逆だったら、2人のウェス・ムーアの人生はどれほど変わっていたのだろうか？

低所得家庭の子どもたちを学校教育で支援するには、テクノロジーだけでは足りないのはわかっている。教育系テック企業がランダム化比較試験で自社製品の効果を調べたところ、結局何の効果ももたらしていなかったと判明するケースも少なくない。

また、お金だけで解決しないこともわかっている。アメリカをはじめとする複数の国は、数十年にわたって公教育への支出を大幅に増やしてきたにもかかわらず、低所得家庭の子どもの成績向上にはつなげられていない。米国教育統計センターによると、2018年〜19年度にアメリカの公立の小中学校と高校への総支出は8000億ドル（約107兆円）だった。児童・生徒1人当たりで計算した場合、先進国の平均より約3分の1多く、実質値で1980年当時のアメリカの2倍、1950年の4倍である。

学校教育を大規模に改善できるのだろうか、できるとすれば、いったいどのように？　私はこれをGPT-4に尋ねたが、背景状況を十分に説明しおえるころにはAIの論理エンジンがもはや情報を処理しきれなくなり、回答は支離滅裂な妄言で埋め尽くされてしまった（複雑すぎる情報を得ようとするユーザーがGPTを使い始めたばかりのときによく起こる現象だ）。

一方、貧しい子どもたちの成績を上げる策を見極めるべく国内の何十もの学校教育を研究してきた人間の専門家たち（経済協力開発機構のアンドレア・シュライヒャーやエクセター大学のマイケル・バーバーなど）によると、最も早く成果を上げる学校は、ほかの資産や資源とともにテクノロジーを活用し、優れた教育手法を教師に提供しているという。それが教師を通じて子どもに届くのだ。

そうなるとここで問われるのは、何千万人という公立校の子どもたちに大きな成果をもたらすために、これまでのテクノロジー以上にLLMが教師や学校の新たな力を引き出せるのかどうか、という点である。

ミンツ教授とシールズ先生は、可能だと考える。私も2人の熱心な取り組みに反対するつもりはない。2人とも自分の意見が教師の多数派でないことはわかっている。同僚から不安の声は聞こえてくる。それでも、これからLLMが教師の働き方をよい方向に変えられると証明しようとしているのだ。

たとえばシールズ先生はニューヨークタイムズの取材で、ChatGPTは全国の国語教師の悩みを解消できるかもしれないと語った。それは作文の採点である。

シールズ： ご存じかどうかはわかりませんが、（中略）ChatGPTは文章の評価もできます。昨日の夜、ある生徒の作文の採点をChatGPTに頼んでみたんです。あくまでも冗談で、『このエッセイを文法と文章構造の面から評価して』と。すると、見事な評価をしました

インタビュアー： すごいですね

シールズ： まず、その作文のいいところをあげてくれました。「うまく書けている点はここです」と。それから、「ここが改善すべき点です」とも。「話の切り替えがスムーズでない、導入部分が足りない、このエッセイ全体に命題がない」などの指摘もありました。まさに1対1のフィードバックです

インタビュアー： 本当ですね

シールズ： 作文の添削にはいつも1週間ほどかかります。一度に80人分を見るので。そして1週間後、ようやく生徒たちにフィードバックをします。でも、ChatGPTなら即座にフィードバックができます。（中略）だから生徒たちにはこう言えばいいんです。「あなたのエッセイのアイデア、内容、文章構成、まとまりなどをChatGPTに1対1で評価してもらって、そのフィードバックを反映してエッセイを改善してください」

インタビュアー： すばらしいですね

シールズ： ええ

アメリカの初等・中等教育での生徒数と教師数の比率は15：1である。そのなかには特別支援教育など1：1で教員を配置している状況も多く含まれるので、多くの高校の国語教師はひとクラス30人以上の生徒を抱え、一度に100人以上の生徒にフィードバックをしなければならない。そのために週に20時間以上残業をすることもある。すべての生徒の作文に対して即座に個別のフィードバックができれば、たとえそれがまだ完全ではなくとも、全国の国語教師の働き方を大きく変える可能性はある。

高校生の作文添削は始まりにすぎないかもしれない。

ホフマン GPT-4、教師が大規模言語モデルを活用して大人数の生徒に優れた指導ができる例を簡単にあげてほしい（作文のフィードバックを即座に提供できる例を除いて）。

∨

GPT-4 大規模言語モデルが教師の助けになりうるほかの例を以下にあげます。

教師は大規模言語モデルを使用することで、各生徒の学習目標、進捗状況、好みにもとづいてカスタマイズした問題やテストを作成できます。AIは個々の回答にすぐフィードバックするだけでなく、生徒の学習スタイルに合わせた、適切な難易度の問題を生成できます。教師はその結果をチェックし、それに応じて指導やサポートを調整できます。

大規模言語モデルは、生徒の予備知識、能力、興味、目標を分析し、それぞれのニーズや好みに合わせて魅力的なコンテンツ、演習問題、評価を生成することで、教師が大人数クラスの生徒1人1人に合わせた学習方法をつくるのに役立ちます。たとえば大規模言語モデルは、各生徒にコンテンツ、プロジェクト、ほかの生徒とのやりとりを提案し、その過程でフィードバックや指針を提供できます。

大規模言語モデルは、クリエイティブな問題解決力、批判的思考、コミュニケーション力、チームワークを育むための指示やシナリオを生成することで、教師が大人数のクラスでの共同学習体験を計画・促進するのをサポートします。たとえばグループで協力して現実世界の問題や疑問に取り組めるシミュレーションやゲームを作成し、生徒の相互協力と学習成果をサポートするための土台やフィードバックを提供できます。

教師は大規模言語モデルを使用して、さまざまなトピックや問題についての生徒同士の話し合いやディベートを促せます。その際にAIは司会者または参加者の1人として、批判的思考や対話を促すような指示、質問、事実、意見、反論を提供できます。教師はやりとりを観察しながら、必要に応じて介入したり、会話に加わって方向性を示したりフィードバックを提供したりできます。

∨

ホフマン 刺激的なアイデアだ。もっと下の学年についても尋ねたくなった。君は小学校、幼稚園、保育園の児童や教師の役に立てるだろうか?

∨

GPT-4 私は、認知能力、社会性、感情、身体能力の発達を刺激する楽しくて魅力的な活動の案を教師に提供して、小学校、幼稚園、保育園の児童のサポートもできます。私は以下のかたちで教師の役に立つことができます。

――各児童の好みに合わせた教育プランと活動ガイドを作成する。

――個人が抱える特定の学習課題に対処するための個別の介入策や戦略を提案する。

――カリキュラムの目標やアプローチに適した幅広いリソースや教材を作成する。

GPT-4が出したこれらのアイデア、そして本章を通じたGPT-4とのやりとりのなかで出た多くのアイデアは、アメリカの最も恵まれない地域でも、LLMが教師に、そして教師を通して生徒に恩恵をもたらす可能性をうっすらと表し始めている。

しかし当然ながら、低所得家庭で育つ膨大な数の子どもたちを教育で救おうとするのなら、アメリカ国外にも目を向けなければならない。

＞格差を埋める圧倒的な教育ツールか、単なる自動化ツールか

世界中の各地域の人口のうち、15歳未満の子どもが占める割合は平均約25%である。中南米とインドがちょうどその平均値で、ヨーロッパと北米は少し低い。一方、アフリカの人口は若く、15歳未満の子どもが5億6000万人いて、地域の全人口の40%を占める。

残念ながら、そんなアフリカの公教育システムは最も脆弱だ。国連の統計によると、アフリカの子どもたちの約60%、数にして3億人以上が15歳になるまで一度も学校に通ってさえいない。そのうち1500万人はその後もいっさいの学校教育を受けないと考えられる。学校に通っている子どもたちでさえ、教師の欠勤率が45%に上ることも一因となり、1日に3時間も授業を受けられない。

2016年のデータを1つあげると、リベリアでは4万2000人の大学入学希望者のうち、入試に合格したのはたった1人だった。

この状況下では、過去20年間のテクノロジーのなかでもとくに有望だと言えるのは、2008年に登場したタブレットコンピューターだ。しかし、タブレットを利用した授業が教師の地位を高めるようには思えない。たとえばエコノミスト紙は、タブレットを使った教育が発展途上国の子ども約10万人に提

供されていた6年前の様子を以下のように紹介している。

> ブリッジ・インターナショナル・アカデミーがナイロビ郊外に構えるガティナ校では、ニコラス・オルオチ・オチエンが教室の5歳児たちを見ながら手元のタブレット端末にも視線を向けている。タブレットに映るのは、授業の台本。内容は一言一句、そこから1万2000km離れたアメリカのマサチューセッツ州ケンブリッジで書かれている。そこではアメリカのチームが、ケニア国内に405校あるブリッジ系列校で実施される25万回分のテストの点数を10日ごとに分析し、子どもがつまずいた部分の授業内容に調整を加えている。同じ学年を教える各校の教師たちはまったく同じ授業をおこない、時間割も標準化されている。オチエン先生のクラスの幼児が本を音読するあいだ、ブリッジ系列のほかの幼稚園の部屋にも同じ言葉が響いているのだ。

さらに恐ろしいことに、タブレットは教師の指の動きをトラッキングし、授業を進めるスピードや時間内にすべての内容を終えたかどうかをチェックする。

だが実際、この特殊なかたちの標準化は子どもたちの役には立ったようだ。ノーベル経済学賞受賞者のマイケル・クレーマーがこの教育モデルを同地域の公立学校と比較するランダム化比較試験をおこなったところ、ブリッジの子どもたちがわずか2年間で平均3年分以上の学習内容を身につけていることがわかった。「この研究で確認されたテストスコアの上昇は、国際的な教育研究文献で報告されたなかでも最大級である」とクレーマーの研究チームは述べている。

教育者の力を奪っているとさえ思えるこのテクノロジーのもとでも、じつは教師の熱心な取り組みこそが成功のカギだった。ある重要な調査結果によると、現在「NewGlobe（ニューグローブ）」と名付けられているこの授業システムによって教師のモチベーションは大幅に上がり、欠勤率は1%未満へと激減した。ケニア国内の近隣地域の公立校では、教師の給与はブリッジよりはるかに高いにもかかわらず、欠勤率は先に述べたとおり約45%である。ブリッジ系列校の教師であるゼアンボ・デイヴィスはクオーツの取材に対し、決まった台本があるおかげで「話す量が少なくて済むし、子どもより積極的に授業に参加する」と語っている。

こうした成功にもかかわらず、結局ブリッジ・アカデミーの財務と事業はうまくいかなかった。当初はサービスを提供する生徒の数を10万人から1000万人にまで拡大する計画だったが、ブリッジはすでに事業運営から撤退しており、いまはアイデアを政府にライセンス供与するモデルに切り替えている。

それでも、現在もまともな教育を受けられていない世界中の6億人もの子どもたちをツールと教師の教育法で支えようと考えると、タブレットを利用するNewGlobeのモデルにLLMを取り入れるという可能性は刺激的だ。

ホフマン GPT-4、ブリッジのNewGlobeをアフリカとアジア全域の数千万人の子どもの教育ツールへと君が拡大させる方法を、大規模言語モデルの視点から1000字ぐらいで書いてくれるか?

∨

GPT-4 大規模言語モデルとして、私は学習コンテンツの質、パーソナル性、拡張性の向上に役立てられます。その方法は次のとおりです。

第一に、自然言語処理とコンピュータービジョンを使って、ブリッジのNewGlobe導入校で使われている授業台本、テストの点数、教師のフィードバック、子どもの成績データを分析します。そして、各学年・各科目の主な学習目標、コンセプト、能力、評価に加え、よくある解釈の誤り、習熟度の差、つまずきやすい部分などを特定します。また、地域や環境が異なる場合にコンテンツの有効性や適切性に影響する言語的、文化的、文脈的な差異も検出します。

第二に、自然言語生成とコンピューターグラフィックスを使って、学習目標や地域的なニーズや好みに合わせた授業台本、アクティビティ素材、練習問題、マルチメディア教材を作成・改良します。また、問題の生成、回答の抽出、フィードバック提供、適応的系列化などの技術で、コンテンツをよりインタラクティブで応答性が高く個別化されたものにします。

第三に、自然言語理解と音声認識を使って、教師によるコンテンツの提供と子どもによる利用を監督・サポートします。また、音声入力、文章読み上げ、機械翻訳などの技術を使って、ユーザーが自分の好きな言語やモードでコンテンツを利用したり互いにやりとりしたりできるようにします。

∨

ホフマン 高等教育の改革、言語教育の革命、教育の哲学など、君と議論したいテーマはまだまだたくさんある。ぜひ締めくくりにも手を貸してほしい。ここまで君と私は、GPTと優秀な教師が組み合わさったときに、人々の人生を、さらにはもしかすると世界さえをも変えられる可能性を論じてきた。一方、それを妨げるかもしれない懸念や課題にも触れてきた。今後50年のうちに大規模言語モデルが教育現場でどのように使われるかについて、楽観的、悲観的、両方が混ざったシナリオを1000字以内でまとめ、この章を締めてほしい。

∨

GPT-4 楽観的なシナリオ——大規模言語モデルは今後50年のうちに強力な教育ツールとなり、学習と指導のあり方を一変させるでしょう。GPTを利用することで、教師は子ども1人1人のニーズや興味に合わせた個別の学習体験を提供できるようになるでしょう。AIは子どもが重点的に取り組むべきトピックやスキルを特定し、必要に応じて指導やサポートを提供できます。また、AIを活用したツールを使うことで、教師は子どもと直接やりとりしやすくなるので、より関心を引き出せる有意義な指導ができるようになります。コンテンツの作成と管理にもAIを使うことで、子どもを授業に参加させ刺激するための時間を増やせます。

悲観的なシナリオ——大規模言語モデルは今後50年のうちに教育現場で使われるようになるでしょうが、その能力は十分には発揮されないでしょう。このテクノロジーは、コスト、アクセス、プライバシーの懸念によって力を制限され、利用できるのは少数の特権的な機関に限られることになります。AIを活用したツールは、成績評価やコンテンツ作成など、教育現場での平凡な作業の自動化や合理化に使われるものの、より有意義なことへの応用はほとんど開拓されないでしょう。また、利用へのハードルや誤用・悪用の可能性は、公平性とアクセス性の低い教育システムを生み出すことにもなります。

両方が混ざったシナリオ——大規模言語モデルは今後50年のうちに教育に紛れもない影響を与えるでしょうが、学習や指導のあり方を変革する可能性はさまざまな要因によって変わります。AIを活用したツールは、成績評価やコンテンツ作成など、教育現場での事務作業の自動化や合理化に使われるでしょうが、より有意義なことへの応用は、コスト、アクセス、プライバシーの懸念によって制限されるでしょう。これらの問題に対処できれば、AIは強力な教育ツールとなり、学習や指導のあり方を一変させるでしょう。AI主導のツールは、個別の学習体験を提供するとともに、コンテンツの作成と監督にも使用され、そのぶん教師にとっては学生を授業に参加させ刺激するための時間が増えます。

∨

ホフマン　ありがとう、GPT-4！　私は自分がそのうちのどれを望んでいるのか、ちゃんとわかっている。きっと私たちは、君のようなツールと連携しながらその道を選べるはずだ。

第2章

クリエイティビティ

Creativity

少し前、グラミー賞をいくつも取ったミュージシャンと話していたとき、AIの話題になった。彼はトップアーティストなので、すでに自分の得意分野でロボットに助けてもらう必要も動機もないだろう。それでも、偉大なアーティストは好奇心をもちつづけるものだ。だからこそ彼は、テック業界でいま起きていることが、今後音楽業界にも大きな影響を与える可能性があるという私の話にしばらく耳を傾けてくれたのかもしれない。

「AIが君の仕事を変える可能性を少し話そう」と私は言った。「最初の30秒は恐ろしくてたまらないかもしれない。でも2分後には、興味をもち、心惹かれ、きっとうれしくなるよ」。われながらいいつかみだろう。

「へえ……?」と彼は言った。

私は話し始めた。「いま、公開前のソフトウェアを試しているんだけど、たとえばジョン・レノンふうの歌詞や曲などを一瞬でつくれるんだ。名曲はできないよ。『これは第2の『イマジン』だ!』とはならない。でも、『ああ、確かに。ジョン・レノンならこういうものをつくりそうだね』というのができる」

「なるほど、怖いね」と、ミュージシャン。

「『そんな、もう僕は必要ないじゃないか』と思っているからだろう?」

「そのとおりだ」

私はつづけた。「でも、君がジョン・レノンで、このツールが手元にあったら、こんなふうに話しかけられるんだ。『想像力、連帯、両想いなどをテーマにした曲をつくりたいんだよね』と。ジョン・レノンのことも彼の作曲スタイルもすでに知っているこのソフトに、そういったアイデアで1曲つくるよう指示できるわけだ。3曲、4曲つくらせてもいい。どの曲も完成版にはならないだろうけど、聴いてみて『冒頭から10〜20秒間はかなりいいな』とか、『1分15秒からの韻は悪くない』と思うかもしれない。そういう断片を組み合わせて、もっといい曲を自分でつくるんだ」

彼の表情が明るくなったので、私はこう付け加えた。「しかも、これらはすべて、最初にひらめいてからほんの数分後のことなんだよ」

すぐに彼は、自分のような一流ミュージシャンもこの新しいツールを使えばもっとうまくやれそうだと理解した。これまでなら実現不可能に思えた規模のアイデア数と高い生産性のもとで楽曲をつくり、世界に届けられる。

そこに、やっかいな問題、葛藤、新たに探らなければならない手法やプロセスも伴うだろうか? もちろんだ。しかし彼が思い出させてくれたように、そんな探求も結局はアーティストの仕事の一部である。彼は、AIは創造力や表現力の使い方を変えるものと考え、すでにやる気満々だった。「もっと便利に、ずっと速く、いままでと違うやり方で創作ができるじゃないか。いつになったら僕もそれを使えるんだい?」

＞AIはクリエイティブな仕事で不可欠になる

もちろん、誰もがAIの利用に熱意があるわけではないし、すぐに乗り気にもならないだろう。これが「最初の恐ろしい30秒」であり、そこに感じられる不安はとてもリアルだ。

そのことはGPT-4も理解している。

ホフマン　AIはミュージシャンなどのクリエイターにどんな影響を与えるだろうか？（700字程度で答え、「例外はある」といった注意書きは省くこと）

∨

GPT-4　与えられたプロンプトや文脈をもとに、筋の通った文章、画像、音声などを生成できるAIは、ミュージシャンなどのクリエイターにプラスとマイナス両方の影響を与える可能性があります。プラスとしては、AIは創造的表現を促す新たなツールとひらめきを提供し、それによってアーティストは新しいジャンル、スタイル、技法、メディアの組み合わせなど、ほかの方法では不可能な表現や困難な表現を探求できるかもしれません。たとえばミュージシャンがAIを使えば、自分の好みや気分に合わせて歌詞やメロディー、ハーモニー、アレンジを生成したり、言語や文化の枠を超えてほかのアーティストとコラボレーションしたりもできるでしょう。画家がAIを使えば、自分のイメージや資料をもとに写実的・抽象的な風景画、肖像画、構図を作成できます。作家がAIを使えば、ジャンルやテーマを指定して、プロットの構想、登場人物、セリフ、シナリオを生成できます。

しかしマイナスとしては、AIはクリエイターの独創性、信頼性、自律性を損なわせるなどの脅威や課題をもたらす可能性もあります。たとえばミュージシャンがAIでつくった曲が既存の作品と似ていたり同じだったりすれば、盗作の疑いや倫理的ジレンマが生じるかもしれません。画家の場合、人間が描いたものと見分けがつかない作品をつくらせるためにAIに頼りすぎると、自身のスタイルや個性を失ってしまうかもしれません。作家の場合、AIに物語を書かせたら自分の意見や主体性を失うかもしれません。さらに、AIはクリエイティブ市場にいっそう競争と飽和をもたらし、人間のアーティストが注目を集めて自分の作品から世間の認知や収入を得にくくなる可能性もあります。

指定した700字は少し超えたが、今後の期待と課題をとてもうまくまとめている。まずはGPT-4が最後に触れたポイントを掘り下げてみよう。生計を立てることについてだ。これは、最近のAIの話を聞いている多くのクリエイターにとって、（当然だが）かなり気になる点だろう。

ホフマン 具体的に、なぜクリエイターにとって収入を得るのが難しくなるのだろう？　なぜ君の言うように競争が激化し市場が飽和するのだろうか？（500字程度で）

▽

GPT-4 クリエイターが自分の作品から収入を得るのが難しくなる理由は、AIが参入障壁を下げて作品の市場供給を増やす可能性があるからです。たとえば、AIを利用できる人なら誰でも、時間や労力をあまりかけず、技術や才能がなくても、音楽、アート、文学を生み出せるかもしれません。その結果、質が低く、既存品をまねたような、平凡な作品が氾濫し、オリジナリティのある、質の高い本物の作品の価値と需要が減少するかもしれません。さらに、AIが作品の著作権や所有権を脅かせば、人間のアーティストが知的財産権を保護して作品を収益化するのが難しくなる可能性もあります。たとえば、AIが既存の作品をベースにしたり既存のアーティストに影響を受けたりした作品を生成したとき、その作品にかかわる権利を誰が所有して印税を受け取るのかという問題が発生しかねません。逆に、AIがまったく新しいオリジナル作品を生み出したときに、その作品は人間のユーザーとAI開発者のどちらが所有するのか、あるいは公有財産になるのかという問題も出てくるかもしれません。

∨

ホフマン　知的財産権の話はあとでまた触れることにしよう。確かにAIのおかげで、才能に乏しい人たちが、君の言うように質の低い作品を「市場に氾濫」させやすくなっている。でも、いいものが悪くなることはないだろう？真のアーティストは、AIを利用してもっといい作品を、もっと魅力的なものをつくる方法を見つけるんじゃないのか？（結局のところ、アーティストとはそういう仕事だ）

∨

GPT-4　はい、真のアーティストは、AIを利用してもっといい作品、もっと魅了的で革新的なもの、そして自身のビジョンや意見を反映した作品をつくる方法を見つけられるでしょう。しかしその過程で、課題やリスクに直面する可能性もあります。たとえば、AIを創作のツールやパートナー、あるいはライバルとして使うことには倫理や美学の面で葛藤があるかもしれません。スピード、多様性、効率性などAIがもたらすメリットと、自身によるコントロール、個性、オリジナリティの喪失といった代償とのバランスを取らなければならないかもしれません。作品でのAIの役割や重要性について、さまざまな意見や好みをもちうる受け手の期待や認識をうまく調整する必要が出てくるかもしれません。AIの存在や性能によって自分の活動分野が影響を受ければ、基準や規範の変化にも適応しなければならないでしょう。また、AIを活用したりAIに対抗したりすると、不安、自信喪失、好奇心、嫉妬などの心理的、感情的な影響に対処しなくてはならない可能性もあります。

∨

ホフマン　アーティストとAIについていろいろと警告があるようだ。クリエイターたちに関して、君はこれからの時代に不安を感じるだろうか？

∨

GPT-4 不安とまでは言いませんが、これからの時代に対して好奇心と警戒心があるのは確かです。AIは創作表現を引き出して幅を広げる可能性をかなり秘めていると思いますが、創作のアイデンティティを崩壊・衰退させる落とし穴と課題も多くはらんでいると思います。クリエイターたちにとっては、AIがもたらす機会と脅威の両方を認識して、それに備え、AIとは受動的または盲目的にではなく批判的かつ創造的にかかわることが重要だと思います。

もっともな意見だ。GPT-4は、私たちがまさに目指すべきことをはっきりと述べた。つまり、批判的かつ創造的なかかわり方である。

私自身の考えとしては、GPT（やほかのAI）は、「とても優秀な助手」と「実際に創作に携わるパートナー」（つまり、オリジナルなアイデアを出す重要なチームメイト）の中間の存在として、クリエイティブな仕事に不可欠なツールになると思う。すでにGPT-3からGPT-4への進化を目の当たりにしている今日（2023年前半）の私は、半年前よりもそう強く信じている。もちろん、このテクノロジーの進化全体から見ればまだ始まったばかりの段階である。しかし、どんな新しい技術に対しても受け身ではいけないし、これほどの影響力をもつ技術ならなおさらだ。

今後の数カ月、数年のうちにクリエイターのコミュニティは、初めは好奇心から、しだいに私の知り合いのミュージシャンのように興奮しながら、大規模言語モデル（LLM）などのAIを加速度的に取り入れていくだろう。それでも懐疑的な見方はなくならないだろうし、むしろそうあるべきだ。AIと私たちとの関係をうまく「調整」するためには、熱意とともに批判的な目をもつことが一番だろう。

＞AIはクリエイターの創造力を拡大する

テレビ番組の脚本家や雑誌記事のライターとして長年活躍している友人が、まさにこのアプローチでAIを試している。すばらしい内容が得られることもあれば、おかしな結果になることも多いという。GPT-4を使い始めたころの実験結果の1つを、彼がこんなふうに教えてくれた。

やあリード、ちょっといじってみたんだ。ストーリーのごく基本的な設定だけをGPT-4に与えて、どんなものができるか試してみた。GPT-4が書いた会話は……ひどいとしか言えない。いや、ひどいなんてもんじゃない。笑えるひどさだ。でも、プロットにひねりを加えるよう指示したら……わりとうまくいったかな？　まあ見てくれ。

プロンプト　2人芝居のシーンを書いてほしい。結婚を約束したカップルがスペインでの休暇中に朝食をとっている。2人は自分たちにとって重要なことを話し合っている。彼女には秘密がある。彼は、彼女に秘密があるのを知っている。しかし、そのことを彼女は知らない。彼はみずから「その秘密を話してくれ！」とは言わずに彼女から聞き出したいと思っている。（3分間の芝居）

∨

GPT-4

屋内。ホテルの部屋、朝

サラとダンは窓際の小さなテーブルを挟んで座り、クロワッサンにジャムを塗って食べている。窓からは街並みと海が見える。20代後半の2人は魅力的で身なりも整っている。サラの左手には指輪がある。

ダン：幸せだよ、サラ。こうやって一緒にいられるのが信じられない。

サラ：私もよ。夢みたい。あなたはとてもすてき。

ダン：すてきなのは君だよ。頭もいいし、美しい。

サラ：やめて、赤くなっちゃう。

ダン：本当のことを言っているだけさ。僕がどれだけ君を愛しているか知っているだろう？

サラ：もちろん。私もあなたのことが大好き。

ダン：よかった。残りの人生を君とずっと一緒に過ごしたい。

サラ：私も。

ダン：だから君にプロポーズしたんだ。

サラ：私も、だからイエスと言ったの。

この時点で私は、これはひどすぎる、いままでの人生で読んだなかでも最低レベルの文章だ、と考えていた。スーパーコンピューターのくせにどうしてもっと速く話を進められないんだ？　ともかく、話はまだつづく。

ダン：じゃあ僕たち、同じ気持ちなんだね。

サラ：もちろんよ。

ダン：すばらしい。それなら、お互いに言えないことなんてないよね？

サラ：ええ。

ダン：よかった。だって、秘密は危険だ。そうだろ？

サラ：そうね、そういうときもある。

ダン：そうか。じゃあ、1つ聞いてもいいかい？

サラ：ええ、どうぞ。

ダン：ポールって誰?

ここでようやく「なるほど!」と思ったよ。GPT-4によると、サラには重要な関係にある男がもう1人いるようだ。いいじゃないか。それなら話は進む。でも、よくある浮気とか「過去の恋」とか、そういうのは先が読めすぎる。だから、もっと斬新な方向にGPT-4を誘導することにした。

プロンプト このシーンをつづけてくれ。ただし、ポールがサラの浮気相手「ではない」展開にすること。さらに、存在を明かしていない家族でもなければ、元彼でも仕事関係の人でもない。ポールに関する彼女の秘密はそういうのとは違う、もっと変わったものなんだ。さあ書いてくれ!

∨

GPT-4

サラ：(ショックを受けた様子で) ポール?　どうしてポールのことを知ってるの?

ダン：スマホのメッセージを見たんだ。「会いたいよ、サラ。近いうちに話せる?」って書いてあった。

サラ：(ため息) ダン、説明するわ。ポールは……彼は……

ダン：彼は?　元彼?　浮気相手?　お兄さん?

サラ：違う、そういうのじゃない。

ダン：じゃあ、何者なんだ?

サラ：彼からは、とても貴重で大切なものをもらったの。

ダン：何を?

サラ：彼からは……腎臓をもらったの。

これは予想外だった！　ここにきて、少なくとも詳しく知りたいと思う物語が始まった。私自身も確かに制作にかかわったが（ありきたりでないひねりを加えるように、というGPT-4への指示）、実際に自分で「書いた」わけじゃない。だからいまは、GPT-4が書いたひどすぎる台詞をかき分けながら（もちろん、「もっとコンパクトに、もっと展開を速く、C級メロドラマっぽさを減らして」という修正指示もできるけど）プロットを探っている。GPT-4はどうしてるかって？　GPT-4はトリュフを探してくれる豚だ。ひたすら書きつづけるのさ。

サラ：5年前、まだあなたに出会っていなかったころ、私は腎臓が機能しなくなるめずらしい遺伝病と診断されたの。すぐに移植が必要だった。透析を受けながら、奇跡を待っていたわ。

ダン：それはたいへんだったね、サラ。

サラ：ありがとう、ダン。（ああっ、もうやめてくれ!）そして、奇跡は起こった。マッチング・ドナーというウェブサイトを通じて、見知らぬ人が連絡をくれたの。私のプロフィールを見て、助けたいと思ったと。自分の腎臓を1つ、匿名で提供すると言ってくれたの。

ダン：なんと、すばらしい話だ。

サラ：彼は私の命を救ってくれたのよ。

ここでGPT-4は止まった。私に何かを求めているかのように。だからこう入力した。

プロンプト　シーンをつづけてくれ。次の30秒以内に、ポールがまだサラと連絡を取り合っている理由を明らかにしてほしい。

∨

GPT-4

ダン：それから？　その後も彼と連絡を取りつづけたの？

サラ：うーん、イエスともノーとも言える。手術のあとは少しメールと電話をしたわ、お互いの回復具合を確認するためにね。彼には彼の人生があったし、私だってそう。先月までは。先月、ガンと診断されたと彼から連絡があったの。

ダン：ガン？

サラ：残っているほうの腎臓にね。今度は彼に移植が必要で、ドナー探しや資金集め、周囲への呼びかけといったかたちで手を貸してくれないかと頼まれたの。

ダン：君はなんて答えたの？

サラ：助けになれることならなんでもすると言ったわ。当然のことだもの。

聞いたこともないようなすばらしいアイデアだろうか？　そんなことはない。でも、斬新なひねりのあるプロットとして十分使えるじゃないか。少なくとも映画の出だしにはなりそうだ。ラブコメやサイコスリラーが思い浮かぶ。もし、ポールに最も適合する腎臓の持ち主がダンだったら？　そして、ダンとサラがまだ婚約まではしていなくて、サラに惚れ込んでいるダンは結婚したいけれど、サラの望みどおり、どこか不気味なポールに腎臓を提供しないかぎり結婚できないとしたら？　そうして新たな人生を歩み始めたポールがじつはサラを愛していて、ダンを排除しようとしたら？　とかね。

このネタをもとに、しばらく「アイデア出し」をしようかと思う（まだ手書きでブレインストーミングをするのが好きなんだ）。ここからいいものができるかどうか、いろいろと考えてみる。GPT-4を使ったり使わなかったりしながら。いずれにしても私が作業にかかわり、判断を下していることに変わりはない。「おお、これはなかなかいいぞ」とうずうずした気持ちを感じることもあれば、感じないこともあるだろう。それでも、私の指示をきっかけとして、GPT-4がここまで導いてくれたことは確かだ[1]。

＊＊＊

彼の話は、LLMがライターなどのクリエイターにどのように役立つかをよく伝えていると思う。クリエイターに取って代わるのではなく、彼らの創造力の範囲を広げることでサポートするのだ。

だからこそ、MITの研究チームが実施した、知識労働での生成AIの効果に関する2つの研究[2]で、AIを使うとライターとプログラマーのどちらの生産性も50％向上し、満足度も高まったという発表を2023年3月上旬に聞いたとき、私はうれしかった。ペンシルベニア大学ウォートン校のイーサン・モリック教授は、この結果を「近代史でまったく前例のないもの」と呼んだ。

ほかにどんなクリエイターの役に立てそうか、GPT-4に尋ねてみた。

> **ホフマン**　GPTがどのようにして以下のアーティストやクリエイターの創作プロセスを改善できるか、それぞれ40～60字程度で例をあげてほしい。ゲームデザイナー、建築家、彫刻家、ヒップホップダンスの振付師、舞台照明デザイナー、ドキュメンタリー映画のプロデューサー。そのアーティストやク

1_ 友人はさらにこう付け加えた。「ところで、大手テレビ局で放映予定の番組のシーズン1のストーリー作成もGPT-4に頼んでみた。基本設定と数人の登場人物の説明を1段落にまとめてプロンプトにした。その結果、2分もしないうちに生成されたものは……まあ、あまりにもありきたりで、いろいろな既存のテレビシリーズを平均化したような内容で、そのまま使えるものじゃなかった。それでも、いいアイデアにまったくつながらないほどひどくもなかった。脚本家たちが今後このツールをどんなふうに使うかはわからない。でも、使うことは間違いないだろう」

2_ 念のため述べておくと、この研究は査読前である。

リエイターがGPTを利用して得られるメリットを具体的に書くこと。

∨

GPT-4 考えられる例を以下にあげます。

——ビデオゲームデザイナー。インタラクティブなキャラクターとの引き込まれる会話や、各キャラクターをめぐるサイドストーリーを生成する。

——建築家。建物のスケッチや仕様書をもとに、リアルな3Dモデルやレンダリングを作成する。

——彫刻家。既存の彫刻の形状、質感、素材を分析し、新たなバリエーションや組み合わせを提案する。

——ヒップホップダンスの振付師。ダンスで使われる音楽や、ダンスのスタイル、テーマにもとづいて、新しい動きや流れをつくる。

——舞台照明デザイナー。脚本や音楽をもとに、各シーンや場面転換で、さまざまな照明効果や雰囲気をシミュレートする。

——ドキュメンタリー映画のプロデューサー。関連する事実、情報ソース、引用を見つけて映画のテーマやストーリーを補強する。

∨

ホフマン GPTは3Dモデルもつくれるのか？　テキストの出力だけだと思っていた。それに、「動きをつくる」こともできるって？　どうやって？　その出力はどこで見られるだろうか？

∨

GPT-4 GPTには、画像生成、データ解析、コード生成などができるさまざまなバージョンやアプリケーションがあります。同様に、テキスト形式をはじめとする入力をもとに3Dモデル、照明効果、音声編集の生成に特化したGPTモデルもあります。たとえば、DALL-Eはテキストでの表現をもとに画像を生成できるGPT-3の一種で、Jukeboxは音楽と歌詞を生成できるニューラルネットワークです。これらのモデルは完璧ではありませんが、

GPTがさまざまなアーティストやクリエイターの創作プロセスを改善する可能性を示しています。

ここで小さな驚きがあった。GPT-4は、はっきり求めたわけでもないのに私が知りたがっていることを察し、みずからの（こんな表現をしていいのなら）「意思」で次の情報を付け足したのだ。

GPT-4 これらの例をより現実的で具体的な内容にするために、アーティストやクリエイターがGPT搭載のツールやプラットフォームをどのように使うかについて、もう少し詳しく説明します。

——ビデオゲームデザイナー。GPTベースの対話生成ツールを使用し、インタラクティブなキャラクターとの引き込まれる会話や各キャラクターをめぐるサイドストーリーを作成させる。GPTは、ゲームのジャンル、設定、プロットだけでなく、キャラクターの性格、バックグラウンド、プレイヤーとの関係も考慮する。デザイナーは生成された会話をレビューして編集したり、フィードバックを与えて改善したりできる。

——建築家。GPTベースの3Dモデリングソフトウェアを使用し、建物のスケッチや仕様書をもとにリアルな3Dモデルやレンダリングを作成させる。ソフトウェアはスケッチや仕様を読み取り、建築家のビジョンやスタイルに合った高クオリティのモデルを生成する。このソフトウェアを使えば、建築家はモデルを修正・改良したり、さまざまな角度や視点から見たりもできる。

——彫刻家。GPTベースの彫刻ジェネレーターを使用し、既存の彫刻の形状、質感、素材を分析させて新しいバリエーションや組み合わせを提案させる。ジェネレーターは既存の彫刻をスキャンし、それらを参考にしたり対比したりして新しい形状を生成する。彫刻家は生成された形状のなかから好きなものを選んで手を加えたり、創作の着想を得たりできる。

……といった具合だ。

もちろん、これを書いている時点で、これらの案の多くはまだ仮説の段階であり、少なくとも広く利用できる状況にはない。それでも、テクノロジーの知識があるからこそ、私はこう確信している——この先GPTは、インターネットと同等か、おそらくそれ以上の規模の次世代プラットフォームとなり、世界はそこに無数のアプリケーション、ツール、サービスを構築するだろう。そして、その変化はあっという間に起きるだろう。GPT関連のツールそのものによって、あらゆるほかのアプリの開発が加速するからだ。

つまり、私は確かに興奮している。ヒューマニストとして、このテクノロジーにどれだけ興奮しているか言葉では表現しきれないほどだ。

＞AIによる悪影響を避ける方法

しかし同時に、GPT-4も促したように、懐疑心もある。そこで、もう少し軽い口調でとリクエストして、GPT-4と次のやりとりをしてみた。

ホフマン 大規模言語モデルが完成して導入されたとき、文化活動全体の質に対して起こる最悪の影響にはどんなものがあると思う?（500字程度で。いつもより硬くない文体にすること）

∨

GPT-4 完成して導入されたとき、大規模言語モデルは文化活動全体の質に対して次のような悪影響をもたらす可能性があります。

——均質化、多様性の喪失。大規模言語モデルは既存のスタイル、ジャンル、トレンドを模倣してコンテンツを大量に生成できるが、それらはオリジナリティ、創造性、真正性に欠ける。その結果、ありきたりでつまらない、大衆に媚びた作品があふれ、革新と実験が妨げられる。

——改ざんやごまかし。大規模言語モデルは、人間の偏見、感情、嗜好を利用した、欺瞞的または有害なコンテンツの作成にも利用されうる。それらのコンテンツには、信頼や民主主義や社会的な結束を損なうフェイクニュース、プロパガンダ、偽情報、ディープフェイク、詐欺、ヘイトスピーチなどが含まれる。

——失職と価値の低下。大規模言語モデルは文化面から人間のクリエイターや労働者にとって脅威にもなりうる。人間は、より安価で迅速に拡張性の高い作品を生むAIとの競争に直面する。また大規模言語モデルは、人間がこれまでにつくってきたコンテンツを複製や変更が簡単なデータやアルゴリズムにしてしまうことで、その文化的価値や意義を低下させる。

∨

ホフマン　どれもまずい！　これらの問題を回避したり、できるだけ少なくするために、私たち社会が踏むべき重要なステップはなんだろう？（500字程度で、いまと同じ文体にすること）

∨

GPT-4　これらの問題を回避したり、できるだけ少なくするために、以下の取り組みが考えられます。

——文化面での大規模言語モデルの開発と使用について、人間の権利、尊厳、多様性を尊重し、消費者やクリエイターに害をもたらしたり欺いたりしないように、倫理的・法的な基準やガイドラインを確立し導入する。また、誤用、悪用、エラーを防ぐために、大規模言語モデルやその生成内容の透明性、責任、監査に関する仕組みをつくる。

──文化面での大規模言語モデルによる潜在的な利点とリスクを認識し、AIによる支援の有無にかかわらず、コンテンツを評価、利用、制作するための批判的・創造的なスキルを消費者とクリエイターに与える。また、倫理的で責任あるコンテンツの消費と制作を促すメディア・リテラシー、デジタル・シチズンシップ、情報健全性の文化を育成する。

──人間のクリエイターや労働者に対して、芸術的・職業的目標を追求するための適切な資源、機会、インセンティブを提供して、彼らを支え、評価する。また、文化の豊かさと革新の源泉としての人間の創造性、多様性、表現を称え、奨励する。

AIが世界を大きく変革していく一方で、その代償が「創造性を称える」ことで相殺されるとは言えない。リボンを飾ってお祭りをするだけでは、食卓に本物の食べ物は並ばないのだ。AIがクリエイターに与える影響を考えるときには、経済や政策レベルでの非常にクリエイティブな見方も必要になってくるだろう。

＞AI生成物は誰のものか

ここで、先送りにしていた疑問に戻ろう。AIの生成物は誰のものなのか？

ホフマン 誰かがGPTにストーリーのアイデアをいくつか出させて、そのうちの1つをもとに脚本を書いて売った場合、それで得られたお金に対してOpenAIはなんらかの権利をもつのか？（750字以内。いつもよりも生き生きとした、堅苦しくない文体で書くこと）

∨

GPT-4 簡潔に言えば、答えは「ノー」です。OpenAIは人類の利益のために人工知能ツールを開発し共有する研究組織です。自社のツールが生成したり、生成に役立ったコンテンツに対して所有権などの権利を主張しません。GPTツールをインスピレーションの源にするのは自由ですが、作品のオリジナリティ、クオリティ、合法性については本人の責任になります。

長く説明するなら、答えは「状況による」です。OpenAIは自社のツールとサービスの利用法を「利用規約」と「利用規定」で定めています。GPTツールを使う際にはこれらの条件に同意する必要があり、そこには制限や義務が含まれます。たとえば、違法、有害、侮辱的な目的でツールを使用したり他人の権利を侵害するのは禁止されています。また、ツールが不正確、攻撃的、不適切なコンテンツを生成する可能性や、ツールを使ったユーザーが生成物に責任を負うことを認識しなければなりません。GPTツールの生成物を公に使用する場合には、OpenAIとGPTのクレジットを表示する必要があります。

これらの条件を守り、他人の著作権やプライバシーを尊重するのであれば、GPTツールを使って自分の想像力を刺激し、独自のストーリーをつくっても問題はありません。ただし、このツールがあなた自身の創造性、技術、判断の代替にはならないことを覚えておきましょう。自分だけの脚本を書き、推敲し、売り込み、ヒットを望むのはあなたです。ヒットすれば努力の結果はあなたのもので、OpenAIに訴えられる心配はありません。

これは確かにグッドニュースだ。

しかし、アーティストがGPT-4を利用することの裏返し、つまり、GPT-4がアーティストを利用する場合はどうだろう? LLMやDall-Eのような画像生成ツールが、おそらく本人の明確な許可なしに、アーティストの知的財産を学習に取り込んだらどうなるのか?　ニューヨークタイムズは2023年2月にこう報じている。

> 「アーティストたちは新たなアートの投稿を恐れています」と、コンピューターサイエンスを専門とするベン・ジャオ教授は言う。アーティストの多くは自分の作品をオンラインにアップして宣伝しているが、いまや彼らは「自分たちとますます似てくるモンスターに餌を与える恐怖」を抱えているという。「このモンスターが彼らのビジネスモデルを停止させてしまうのです」とジャオは語った。

これはもっともな懸念であり、ジャオ教授が解決策としてあげるGlazeは合理的かつ画期的な対応だと思える。Glazeとは、アーティストが自身の画像作品をAIから「隠す」ツールである。人間の目では認識できないが、AIにはまったく異なる画像として「理解」されるよう、ピクセルレベルで画像を変化させるのだ。

> ……たとえばStable Diffusion［訳注：画像生成AI］は、ジャクソン・ポロックの抽象表現作品にも似た、絵の具が飛び散ったような効果を付け足してしまう。……アーティストのカーラ・オルティスがGlazeで処理した作品をオンラインに投稿しても、画像生成AIはその画像を学習に使って模倣できない。彼女の名前をプロンプトに含めても、生成されるのは彼女とポロックの作品を混ぜ合わせたようなスタイルの画像なのだ。「私たちは作品の使用許諾権を取り戻しているのです」とオルティスは言う。

これは、クリエイターとAIの関係がたえず変わりつづけ、時に対立してしまう未来を予感させる。だが、クリエイターと技術革新の関係は昔から複雑だった。19世紀半ばに写真が登場したとき、画家たちは当然ながら懸念を抱いた。一部の職業は確かにかき乱されたが、その後も画家と写真家は、どちらもすばらしくクリエイティブな仕事をつづけている。

もちろん、GPTはほかにもさまざまなかたちで私たちの未来に創作の方面からかかわってくるはずだ。その全体像を知ろうとしたとき、私は自然とGPT-4に尋ねていた（いまや、標準で設定されている文体よりも読みやすい口調で、と忘れずに指定できるようにもなった）。

ホフマン GPTの未来をテーマにした本を書くとして、GPTがクリエイティブ系の仕事や文化活動に与える影響をまとめた章の概要を作成してほしい。GPTとは何かとか、どういう機能があるかといった基本事項は、それ以前の章で扱うので取り上げないこと。いい影響と悪い影響を含め、長さは800字程度にすること。大卒だが専門家でない読者を対象に、やや軽めの文体にすること。

∨

GPT-4 第X章　GPTとクリエイティブ経済

イントロダクション。GPTは文章を生成する優れたツールであるだけでなく、画像、音楽、映像などのメディアも作成できる。これは人間や機械によるクリエイティブな仕事と文化活動にどのような影響を与えるだろうか？アーティスト、消費者、そして社会全体にとっての機会と課題とは？

――第1項。創作アシスタントとしてのGPT。アイデア出し、編集、フィードバック、翻訳、マーケティングなどのタスクを通して、GPTがどのように人間のクリエイターの役に立つか。GPTと人間のアーティストとのコラボレーションの成功例として、OpenAIのJukebox、DALL-E、MuseNetなどをあげる。人工知能による人間の創造性の補強には、多様性、アクセシビリティ、イノベーションを促進する利点がある。

――第2項。創作の競争相手としてのGPT。GPTはどのようにして人間の指示や監督なしにオリジナルで高品質のコンテンツを生成できるのか。Philosopher AI、This X Does Not Exist、AIDungeonなど、自律型GPTによる創作の例を紹介。リスクとしては、人間のクリエイターの仕事を奪い、知的財産や芸術の価値を下げることがある。AI作品の著作権や所有権に関する倫理的・法的な意味合いについても述べる。

——第3項。創作の触媒としてのGPT。GPTがどのように新たな創作表現と文化的模範を示せるか。Botnik Studios、GPT-3 Poetry、NovellAIなど、ハイブリッドでインタラクティブなGPTプロジェクトの事例を紹介。人間と機械による共同創作、リミックス、実験が促進される可能性について。課題としては、この新たなクリエイティブ経済のもとで、品質、真正性、責任を維持すること。

——まとめ：GPTは、クリエイティブな仕事と文化的な活動をかつてないかたちで変えている。人間と機械の関係が変わりつつある現在、私たちはみずからの役割を再考しなければならない。

私にここまでの概要は書けなかっただろう。

第3章

司法と正義

Justice

2022年の秋。本書とAI全般でほとんど頭がいっぱいだった私は、アラバマ州モンゴメリーにある、イコール・ジャスティス・イニシアティブ（EJI）［訳注：社会的弱者の基本的人権の保障を目的とする非営利団体］が運営するレガシー博物館を訪れた。EJIの創設者で、エグゼクティブ・ディレクターでもあるブライアン・スティーヴンソンは、じつに尊敬すべき人物であり、社会の道徳性や高潔さは、貧しく、権利を奪われた無力な人たちをどう扱うかで決まるという彼の考えには、私も同感だ。

公正で、かつ有効に機能する司法制度は、人間の可能性を最大限引き出すうえで欠かせない。社会のほかの部分を置き去りにしたまま、一部分だけを持ち上げることはできないのだから。そのため私のなかで、司法と正義という概念はずっと重要でありつづけてきた。

奴隷制度について「それはあくまで過去のことであり、いまはもう問題はなくなった」と言って終わりにしてしまうのは、良心に反するし、社会にとって有害だ。だから、スティーヴンソンをはじめとするEJIのメンバーたちが懸命に取り組んでいるはずの仕事を通じて、奴隷制があきらかに邪悪な制度であったと再認識することは、その余波として残っている悪と戦っていくうえで必要なのだ。

アメリカでも最も悪名高い奴隷市場の跡地の近くに建てられたレガシー博物館は、この種の残虐行為や経済的な搾取が私たちの歴史にいまでもどれほど大きな影を落としているかを、まざまざと思い知らせてくれる。

この博物館が示すとおり、20世紀に起こった大量投獄は、奴隷制から連綿と受け継がれた負の遺産の1つである。ミシェル・アレクサンダーは、名著『The New Jim Crow』のなかで、アメリカでは現在、1850年時点で奴隷にされていたよりも多くの黒人男性が、投獄中か仮釈放中か保護観察中かはさておき、なんらかのかたちで刑務所と関係しているという残酷な事実をあきらかにしている。

このひどい不均衡はなんとしてでも正さなければならない。正直に言って、私がこれほどGPT-4に夢中になっているのは、この問題の解決に役立つにちがいないと信じているからでもある。

＞よりよく使うために必要な議論

さて、本題に入る前にいくつか断っておこう。

まず、この章で扱う内容はもっぱらアメリカについてであること。アメリカは私の居住地であり、大半の仕事をおこなっている場でもあるうえに、すでに述べたとおり、アメリカの受刑率の高さは世界でも屈指であるという悲しい現実があるからだ。

また、私自身がアメリカの白人男性という恵まれた立場にあるために、見逃していることが多いというのも認めなければならない。それに、司法分野でのAIの有効利用の可能性を論じるのは、決して簡単ではないのも承知している。なぜなら、この分野ではこれまで、AIが問題を起こしてきた経緯があるからだ。だが、AIは現に存在していて、すでに使われているし、これから消えてなくなったりはしない。これはもう現実に起きていることなのだ。

そして、このテクノロジーをどう使うかを決めるのは私たち自身であり、司法の文脈でどのように適用するかについて、みずからの意見を反映させられるかどうかも私たちしだいだ。もしこの議論への参加を拒否すれば、こうしたツールの開発のみならず、そもそもこうしたツールをどう定義するかということすら、過去に構造的な不平等をつくり出してきた組織の手にゆだねることになってしまいかねない。あなたはそのような危険を冒したいと思うだろうか。

この議論はきわめて難しいものになるだろう。それでも、AIを司法や正義にとってマイナスではなくプラスの方向に使うための方法を話し合わないのは、怠慢だと思う。私たちのやることは決して完璧ではない。人間がつくるシステムにはつねにある種のバイアスがつきものなのだから。それでも、よりよいものを目指して努力をつづける必要がある。

>過ちではなく正しく使うために

司法にAIを導入するときの問題点をめぐっては、すでに起きている実際の事例に関するものや、将来の可能性についてのものも含め、すでに多くの意見がある。司法へのAI導入というディストピアを予感させるコンセプトは、多くのSF映画や小説にインスピレーションを与えてきた。しかし、そのような物語を見るまでもなく、AIを司法に使うことで問題が起きる可能性があるのはあきらかだし、実際にすでに起きている。

たとえば、「プレディクティブ・ポリシング［訳注：AIに過去の犯罪データを学習させることで、事件が起こりやすい場所や時間を特定し、そこで重点的に犯罪検挙をおこなうこと。予測警察とも］」には、その予測に偏見や先入観が強く反映される恐れがあるという批判があり、そうした事態は実際に起きている。AIアルゴリズムは人間の裁判官よりも「客観的」な意思決定者であるという印象を与えうる。その権威によってこうしたバイアスが、現実に影響力をもつことになる。

また、顔認識システムのアルゴリズムにも問題があり、肌の色が濃い人ほど誤った判定を下される確率が高いことが複数の研究で示されている。

このような例はまだまだあげられる。ただ、私はここで、司法へのAI活用の悪い面ばかりを、（これから起こりうるか、実際に起きているかに関係なく）くどくどと論じるつもりはない。

むしろ、GPT-4の最も有望でOpenAIが意図した使い方は、AIの力を個々の市民の手にゆだね、草の根活動的・分権的・民主的なかたちで活用することだろうと、私は思っている。

そのため、本章ではそのような視点から議論を進めていきたい。これまで国家権力によって（あるいはこれから、AIでさらに強力になるであろう国家権力によって）疎外され、ターゲットにされてきた個人やコミュニティに力を与えるために、私たちはどのようにAIを使えばいいのか。そして、AIを積極的に活用して、新たな正義を実現する方法を、どのように考えていくべきなのか。

＞身体装着型カメラ？ AIのメリットとリスク

では、まずはカメラから話を始めよう。なかでも近年、アメリカの警察官全員に使用が推奨されている身体装着型カメラ（BWC）についてだ。2018年のデータを見ると、その時点ですでにアメリカの法執行機関の職員の半数近くがなんらかのかたちで装着型カメラを使用していて、規模の大きな警察署では、その割合は8割近いことがうかがえる。

アメリカ自由人権協会(ACLU)は、「アメリカで警察による暴力がより現実的な問題として認知されつつあるいま、(身体装着型カメラは)警察官を監視するために切望されていたツールだ。(中略)(しかし)適切なポリシーがなければ、プライバシーを侵害するリスクが高い警察の監視装置が、もう1つ増えるだけになりかねない」と述べている。

ここでもまた、社会にもたらされる利益がある一方で、それと釣り合うだけのリスクが存在することがわかる。では、なるべくリスクを減らしつつ、メリットのほうに天秤を傾けていくにはどうすればいいのだろうか。

ホフマン 警察業務で使う装着型カメラの潜在的なメリットとリスクについて、私たちはどう考えるべきだろうか。

∨

GPT-4 警察業務で使う装着型カメラの潜在的なメリットには、攻撃的な行動への抑止力となることに加えて、警察官と市民のあいだの手続きの透明性やアカウンタビリティ、信頼性の向上などがあげられます。また、犯罪捜査に役立つ証拠を映像として残してくれるでしょう。

しかし、装着型カメラには潜在的なリスクもあります。たとえば、プライバシーやデータセキュリティの問題、社会的弱者に対する監視の強化につながることなどです。さらに、このテクノロジーにかかる費用が高額になったり、装着するスタッフにトレーニングが必要だったりと、リソースが求められる可能性もあります。そのため、装着型カメラを警察業務の現場に導入する前に、その潜在的なメリットとリスクを慎重に検討することが重要です。

∨

ホフマン そうしたリスクを減らしつつメリットを最大化するにあたって、AIはどのような役割を果たすことができるか。

GPT-4 装着型カメラのリスクを減らしつつメリットを最大化するために、AIはさまざまな役割を担う可能性があります。たとえば……

——AIを使った映像解析によって、装着型カメラで録画された映像に映っている機密情報や個人情報を自動的に識別して修正できるかもしれません。そうなれば、映像に映っている個人のプライバシーを守るのに役立ちます。

——AIは、事件の鍵となる出来事や瞬間を探す際の、映像を見直す作業の自動化に役立つ可能性があります。これにより、法執行官は時間を節約でき、映像から重要な証拠を見つけ出すのが容易になるかもしれません。

——またAIは、警察官による不正行為や暴力行為を見つけ出し、そうした事件の特定や捜査を手助けできる可能性があります。

——最後に、AIは、装着型カメラで録画された映像に現れる傾向やパターンを分析し、このテクノロジーを使うにあたってのトレーニングやポリシーの策定、改善に役立つ可能性があります。

確かに、どれも期待できそうだ。だが、潜在的なリスクを考え合わせると、こうしたテクノロジーをよい方向に使うには、やはり人間の意志と、それにもとづく指示が必要だろう。

私が、とくにその事業に期待を寄せている新興企業にJustice Textがある(私は、ブルームバーグベータ、マイケル・タブス、ジョン・レジェンドなどとともに、エンジェル投資家としてこの会社に出資していることをここで明言しておこう)。

デビシ・メロトラ率いるJustice Textは、公選弁護人による映像証拠の分析、共有を支援し、依頼人が検察側と同じように証拠を確認するためのアプリケーションをつくっている。このアプリは、映像証拠に自動で字幕やタグを付け、弁護士が法廷で使いやすいかたちにしてくれる。

同社はまだスタートアップの段階にあるが、それでもすでに50を超える公選弁護人事務所、60人を超える個人弁護士と提携していて、これからさらに規模を拡大する予定だ。AIというテクノロジーを使って、より多くの被告人がまっとうな判決を受けられるよう支援するのが彼らの目標であり、私はそれを心から応援している。

＞一般人にもリーガルサービスが使いやすくなる

GPT-4をしばらく使ってみると、決まった形式の文章を出力するのが得意であることがわかる。形式はどんなものでもかまわない。歌の歌詞でもいいし、この章に関連の深い、法廷に提出する摘要書や申請書でもいい。

現在、アメリカで裁判をする場合、法廷での代理人の質が被告人の銀行の残高しだいで変わることは、誰もが認めるだろう。そのため、お金に余裕のない多くの被告人が、AI（とくにGPT-4のような大規模言語モデル）を使うことで、いまよりもよいサービスを受けられると考えるのは、決しておかしなことではない。

GPT-4はあらゆる専門職で有能なアシスタントとして活躍できるポテンシャルをもっていて、司法の世界でも、裁判制度を利用するあらゆる人を支えられるというのが、私の意見だ。

限られた資金のもと過重労働に苦しんでいるすべての公選弁護人たちのかたわらに、頼れるアシスタントとしてGPT-4がいて、日々、あきらかに手にあまる数の訴訟をやりくりする手伝いができたらどうなるか、想像してみてほしい。

ではここで、こうしたシナリオについてGPT-4自身に尋ねてみよう。

ホフマン 公選弁護人が法律業務をこなす際に、GPT-4のようなAIを活用するとしたら、どうなるだろうか。具体的にどのような状況が考えられるだろう。

∨

GPT-4 （編集済み）近い将来、法制度のなかで働く公選弁護人が、仕事の生産性や正確さを向上させるためにGPT-4のようなAIを活用することはありえます。AIを使うことで、公選弁護人は手早く訴訟案件の内容を確認し、依頼人のためにベストな行動を取れる可能性があります。

たとえばAIは、法務データベースに登録された過去の案件から、関連する情報や事実や詳細をすばやく見つけ出すために使われるかもしれません。あるいは、進行中の案件で法的戦略を立案する際に使われることもありえます。場合によっては、従来の弁護士とクライアントの関係を超えて、依頼人に対して、法廷に訴訟を申し立てたり、複雑な法的事項に対処したりするうえでベストなやり方を提案する際に役立つ可能性もあります。

こうした目的でAIを活用することは、司法制度を利用しやすくすることにもつながるでしょう。複雑な司法制度に不慣れな人でも、AIの直感的に操作できるデザインや使いやすいインターフェースのおかげで、法的手続きを理解しやすくなるかもしれません。とくに法的サービスが充実していない遠隔地や地方に住んでいる人たちにとって、これは大きなメリットになりえます。

これまで司法制度の恩恵を十分に受けられず、しばしば警察をはじめとする公務員たちの不正や職権乱用によって不当な扱いを受けてきた人たち。彼らにとって、AIによるこうしたサービスは大きな変化となるだろう。

＞刑務所での受刑者教育、再犯率の低下にも役立つ

あらゆるものがネットワーク化され、テクノロジーを扱う能力が生活の面でも仕事の面でも鍵となるこの時代に、刑務所でのインターネットの使用は極端に制限されている。受刑者に外の世界へのアクセスを許可する場合でも、たとえば事前に申請して認可済みの家族にだけメールを送るなど、ごくごく一部の使い方しか認められていない。刑務所ではこうして、受刑者になるべく外の人間や情報に触れさせないようにすることで、よからぬ行動を防ごうとしているのだ。

刑務所でのもう1つの大きな特徴、そして、多くの人が刑務所にたどりついてしまうそもそもの理由に識字率の低さがある。これまでの研究によると、アメリカの受刑者の75%は読み書きができず、さらに小学4年生の終わりまでに読み書きが十分にできるようにならなかった人たちの3分の2が、のちに刑務所に入るか生活保護を受けることになるとされている。

また、孤独で退屈な刑務所での生活自体が、メンタルヘルスの悪化や問題行動、自殺や暴力、再犯などの負の連鎖につながる可能性がある。

このような状況下でGPT-4は大きな福音になりうると私は考えている。

ホフマン GPT-4をはじめとするAIは、受刑者たちの識字率を向上させ、再犯率を下げ、孤独に対処するにあたって、どのように役立つだろうか。具体的にあげてほしい。

∨

GPT-4 （編集済み）GPT-4などのAIは、受刑者たちの識字率を向上させ、再犯率を下げ、孤独に対処するにあたって、以下のような方法でとても役に立つと思います。

> ——受刑者が電子書籍や動画、ポッドキャストなどの教材に触れられるようにすることで、識字率の向上に役立ちます。
>
> ——バーチャルな相談役として、受刑者の社会的能力の向上や良好な人間関係の育成、キャリアパスの構築などを手伝えます。
>
> ——受刑者に、同じような経験をした人たちが集まるオンラインコミュニティを紹介します。これにより世間から隔絶され孤立しているという感覚を和らげるとともに、励ましの言葉をもらったり、サポートを受けたりできるようになるでしょう。

また、刑務所でネット利用を許可するうえでのおもなハードルが、受刑者と外の世界のやりとりを監視する労力であるならば、GPT-4はその負担を軽減するか、あるいは完全になくせるかもしれない。

私は、刑務所でのコミュニケーションや教育関連のテクノロジーの利用をより開かれたものにする事業をおこなっているAmeelioという非営利団体を応援している。Ameelioは、受刑者たちが無料で手紙を出したり電話をかけたりできるようにするとともに、拘置所や刑務所に最新の高品質な教材を導入するためのテクノロジーを提供している。同団体は、受刑者支援のためのネットワークや必要なリソースを供給することで、再犯率を下げ、刑務所に送られる人を根本的に減らせるはずだと信じているし、私もその意見に賛成だ。

GPT-4によって、Ameelioのような団体が、現在服役している人たちに、コストを抑えつつより効果的な方法でアプローチできる可能性が開かれると思うと、興奮せずにはいられない。それに、現在、刑務所にいる人たちの95%がいずれは社会に復帰することから、彼らをどのように支援するかを考えるのは、道義的責任というだけでなく、社会全体にとっても大きなメリットになるはずだ。

＞知能犯の摘発にもAIが活躍する

ここまでの話はおもに、いわゆる「ブルーカラーの犯罪」に焦点を当ててきたが、AIはホワイトカラーの犯罪の摘発にも役立つと私は考えている。このような犯罪は感覚的には理解しづらいため、メディアで取り上げられることはあまりないが、その注目度の低さに反して、社会に与える影響はとても大きい。

FBIによれば、企業犯罪、ポンジ・スキーム(ネズミ講)、価格談合といったホワイトカラーの犯罪によって、毎年アメリカでは3000億ドルを超える被害が出ているという。この種の犯罪の摘発が難しいのは、ビジネス界や金融業界の大物がかかわっていることが多く、犯罪行為をうまく偽装していたり、社会的な評判の高さから嫌疑をかけづらかったりするからだ。たとえば、バーナード・マドフは90年代の初期にはナスダック株式市場の会長を務めていた。そのような人物が、あれほどの罪を犯すなど［訳注：大規模な金融詐欺事件で逮捕された］、誰が想像できただろうか。

だが、AIであればそれができたかもしれない。

ホフマン GPT-4、聞きたいことがある。AIであれば人間よりも早い段階でバーナード・マドフを逮捕できたと思うか?

∨

GPT-4 はい、AIであれば人間よりも早い段階でバーナード・マドフを逮捕できた可能性はあります。AIは人間よりもすばやくデータを分析できますし、微妙すぎて人間の目ではとらえられないようなパターンも検出できます。バーナード・マドフのケースでいえば、人間の捜査官が見逃してしまった彼の財務記録に残っている矛盾点を発見できたかもしれません。さらに、AIのシステムは外部からの圧力や誘導の影響を受けづらいので、ぶれることなく疑わしい行動の検出に集中できた可能性があります。

この最後のポイントこそ、AIがホワイトカラーの犯罪にとくに有効であり、毎年何十億ドルもの被害を減らせるのではないかと私が思う、おもな理由である。

＞AIで思いやりのある司法制度に

AIを使うことで、私たちはみずからの人間性や思いやりや知性を向上させ、より公正で優れた司法制度をつくれるはずだ。

ただし１つ断っておくが、私の目標はあくまで司法制度をよりよくしていくことにあるのであって、完璧なものができると思っているわけでは決してない。完璧な司法制度などありえない。なぜなら、それを形づくっているのは人間であり、人間にはある程度の偏見や過ち、不完全さがつきものだからだ。

とはいえ、だからといって、それを目指さないということにはならない。私たちはみな、不正や不公平に満ちた現在の司法制度を改善していくことに大いに関心を払うべきだ。政治の目的にかなう、この社会で現実的に達成可能な費用対効果の高い方法で進める必要があることを念頭におきつつ、そのなかでできるかぎり完璧に近づけるよう努力しよう。少しでも不完全な部分が出てきそうだからといって、この目標からそれてしまうのはいいことではないだろう。

そして、本章の冒頭で述べたとおり、私自身、司法制度改革を論じるうえで、みずからの限界を承知している。だからこそ、ブライアン・スティーヴンソンのような、この分野の専門家との対話を大切にしているのだ。

第4章

ジャーナリズム

Journalism

アメリカのジャーナリズム業界にとって、ここ20年は悪いニュースばかりだった。インターネットの台頭によって広告費の取り合いとなり、業界の伝統的なビジネスモデルは崩壊した。さらに、ついに発信力を獲得した一般人がメディアへの反論を開始したことで、ジャーナリズムの権威はしだいに失墜しつつある。

なかでも、これまで長きにわたって権力の説明責任を追及し、大衆に時事問題を伝えるという重責を担ってきた新聞各社が、最も苦しい立場に置かれている。ピュー研究所によると、2005年以降、アメリカでは2200以上の地方紙が廃刊となり、4万人以上の報道関係者が職を失っている。

一方で、私たちはますます多くの情報を生み出しつづけている。まさに、大量に、だ。

ホフマン　2022年に、世界で1日あたりどれほどの量の情報が生み出されているか数値化できるだろうか。それから、時間とともに世界中で情報が生み出されるペースがどれくらい加速しているかを把握するのに役立つデータはあるだろうか。最後に言っておくと、私は大規模言語モデル（LLM）が報道業界に大きなメリットになるという主張をするうえで、その一部として君の回答を使うつもりだ。だから、でたらめはやめてほしい。簡単に裏が取れる、実際の情報ソースの裏付けがある回答にすること。

∨

GPT-4　インターナショナルデーターコーポレイション（IDC）の報告書によると、2025年には世界で175ゼタバイト、つまり、175兆ギガバイトに相当するデータが生成されると予測されています。これは、2025年には1日あたり平均で4795億ギガバイトのデータが生成されることを意味します。2020年から2025年までの増加率が一定だと仮定すると、2022年の1日あたりのデータ生成量はおよそ374.4エクサバイト、つまり、3744億ギガバイトということになります。

この数字をわかりやすくするために補足すると、1エクサバイトのデータは、DVDに換算すると約2億5000万枚分であり、Netflixのストリーミング配信8600万年分の容量です。

私はこのGPT-4の回答を念のためファクトチェックしてみたが、どうやら間違いないようだった。私たちは現在、1日におよそ3750億ギガバイトのデータを生み出している。

だが、当然ながらそのなかで報道に値する価値のあるものはごく一部しかない。

この超情報過多の世界で見通しをよくし、優先順位をつけて説明責任を果たすためには、日々押し寄せるデータの洪水を効率的に取り込み、要約、分析して、意味がわかるものに整えてくれる機関が必要だ。

適切な文脈のなかでものごとを順序立てて語り、誤りがあれば修正し、真実を追求するという経験を組織として長く積み上げてきたジャーナリズム業界にとって、これは大きな挑戦であり、同時にとてつもないチャンスでもある。

私は、ジャーナリズムはこの挑戦を乗り越えられると思っている。だがそれには、業界でも最も責任ある立場にある意欲的な現役のリーダーたちが、人間の部下たちの成果と影響力を劇的に増幅させるツールを積極的に取り入れる必要がある。要するに、GPT-4のようなツールをなるべく早い段階で導入すべき、というのが私の意見だ。

そこでGPT-4に、新しいAI技術で大規模な情報操作が可能になり、ディストピアと化した2032年の世界への「旅行にあたっての注意喚起」をつくるよう頼んでみた。

ホフマン　いまが2032年で、アメリカの大統領選挙まであと数カ月だとする。私たちの社会が生み出す大量の情報が、新たなAIによるフェイクニュースのせいでひどく汚染され、まさにディストピアのようになっている。各候補者には、有名人による偽の賛辞が並ぶ一方で、ありもしない過去の罪の告白なども出回っている。実際に討論をおこなっても、それが瞬時に改ざんされ、嘘の内容がリアルタイムで配信されてしまう。さらに、MAGAキャップ［訳注：Make America Great Againというスローガンが書かれた帽子］をかぶったキリストのホログラムが、政治集会の壇上に登場するありさまだ。では、このような状況下で、未来の有権者たちが選挙当日に誰に投票するかを決めるのに役立つ、有益なニュースや情報を手に入れるにはどうすればいいだろうか。これを「旅行にあたっての注意喚起」として500字以内でまとめてほしい。

∨

GPT-4　旅行にあたっての注意喚起（案）：有権者に警告します。あなたがたはいま、デマやごまかし、情報操作の危険がある領域に立ち入ろうとしています。フェイクニュース業界はAIを使ってフル稼働し、あなたの投票に影響を与え、民主主義を弱体化させようとしています。情報源が信頼できる実在のものであり、その内容が正確であることをみずから確認できないかぎり、いかなる情報も信じてはいけません。ディープフェイク、合成音声、ホログラムなど、リアルに見える偽物の映像や音声をつくり出せるデジタルトリックには注意しましょう。ファクトチェックためのツールや、独立系メディアなどを利用しつつ、みずからの批判的思考を駆使して、事実と虚構を見分けてください。事実であるかどうか確信がもてなかったり、ほかの人を傷つける可能性のある情報は、共有したり、拡散したりしてはいけません。さまざまな情報源やコミュニティから、それぞれ尊重すべき多様な視点を取り入れましょう。あなたの1票はあなたの声でもあることを忘れないでください。フェイクニュースに負けてはいけません。つねに情報を取り入れつつ、安全を確保しながら積極的に行動しましょう。

いまあなたはこんなふうにつぶやいているかもしれない。「なんてこった！ MAGAキャップをかぶったキリストにどう対処すればいいかをGPT-4に尋ねているのに、その答えが『批判的思考』だって？」

しかし残念ながら、未来の世界で真実を突き止める際には、簡単なやり方などないと言わざるをえない。

だがそれでも、楽観主義者である私からすれば、社会が真実を追求するにあたって踏むべきステップが、少なくとも3つはあるように思える。

1) 真実を追求する機関は、これまでよりも早く動けるようにならなければならない
2) 真実を追求する機関は、聴衆をより惹きつけられるようにならなければならない
3) 真実を追求する機関は、「あたり一帯を真実で埋めつくさなければ」ならない

この3つのステップを達成するのに必要な共通の要素は何か？　それこそがAIだと私は信じている。

＞AIで報道を加速せよ！

ジャーナリストに、あなたの仕事を支える最も大きな価値はなんですかと尋ねると、「正確さ」という答えが返ってくることが多い（公に記録が残る場で尋ねたときにはとくにそうだ）。だが、ジャーナリズムがときに「歴史の第一稿」と呼ばれるのには理由がある。ほかと同じようにこの業界でもまた、スピードは重要な要素だからだ。

報道する対象が、戦争や政治、気象情報や市況、あるいは新しくオープンした大人気のレストランであっても、ジャーナリストはつねに時間と戦いながらできるかぎり早く情報を集め、事実をなんとか筋道立てて視聴者に伝えようとする。

そしてスピードが求められるせいで、ジャーナリストによる歴史のラフドラフトは、ときに文脈が読み取れず、ストーリーの重要な側面が見えないような本当にラフなものになってしまう場合がある。

多くの人は報道をある種の完成品ととらえがちだが、結局それは反復的で自己修正をくり返すプロセスなのだ。そこでは、明日の報道が今日報じられたことをさらに洗練させ、明確にし、拡張していくのが理想となる。もちろん正確さは報道を支える重要な要素でありつづけるだろうが、それはスピードという要素も同様だ。

これこそ、GPT-4をはじめとするAIツールがジャーナリズムにとって、全体には大きなプラスになると私が信じるおもな理由だ。AIは、報道機関がこれまで以上に迅速に情報を集め、コンテンツをつくり、ニュースを配信する助けになる。

たとえばAIは、膨大な量の公的記録を自動で選別して、そこに隠れているものごとの重要な流れを見つけ出せる。また、これと同じように、1日8億件以上ものソーシャルメディアへの投稿を監視、分析することも可能だ。さらに、見出しの作成やインタビューの書き起こしを瞬時におこなったり、同じ情報をさまざまなスタイルやフォーマットに落とし込み、それぞれにあった形式にしたりすることもできる。

だが、ここでジャーナリズムの世界にいる読者からはこんな声が聞こえてきそうだ。「冗談じゃない！　あんたは、でたらめを吐き出すというあきらかにやっかいな欠点を抱えるGPT-4を使って、事実よりもスピード優先の見当違いの報道を加速させるつもりなのか。中途半端で、真偽も定かじゃない報道を？　とにかく早ければそれでいいのか？」

お願いだからこれをTwitterに書き込むのはやめてほしい。私が言いたいのはそういうことではない。

今後も、優れたジャーナリズムには、人間の手による泥臭い作業と時間の制約のなかでの賢明な判断や評価が必要だ。また、複数段階にわたる、細心の注意を払った徹底的な編集工程も欠かせない。そうした条件がすぐに変わるわけではない。それに、そうしたジャーナリズムのプロセスにはある程度時間がかかることもあるし、たとえAIを導入したところで、以前と同じく、ミスが起きてしまうこともあるだろう。

だが前にも述べたように、報道ではスピードがつねに必須の要素だった。実際、スピードアップの必要があったからこそ、これまでも優れたジャーナリズムはつねに、印刷機、カメラ、テープレコーダー、テレビネットワーク、インターネット、スマートフォンといった、ニュースの制作と配信のプロセスを加速、増強する数々の偉大なテクノロジーをいち早く取り入れ、効果的に活用してきたのだ。

同じことがいま、ふたたび起こりつつある。AIツールは全体として、ジャーナリストがより生産的かつ効率的に仕事をするうえでプラスになるはずだ。

GPT-4が人にハルシネーション（幻覚）を見せる[3]可能性については、ジャー

3_ この点については第8章で詳しく論じる。

ナリストは当然、GPT-4がこうした側面を抱えていることに留意しながら、出力された文章を精査しなければならない。強力なツールを使うときには、つねに高い注意力と専門性が要求される。車であろうと、チェンソーであろうと、複雑なアルゴリズムであろうとそれは同じだ。それは、そうしたツールが与えてくれる生産力に対する対価なのだから。

また、LLMの急速な進化のペースを考えると、1、2年経てば、おそらく幻覚が出力される可能性はいまよりもずっと低くなっているだろう。

それまでのあいだは、このツールが報道機関の生産性を全体的に高めるポテンシャルをもっていることを考えると、現在のGPT-4が抱える明確な欠点を十分に警戒しながら使っていくのが、賢いやり方だと私は思う。それにじつのところ、ジャーナリズムの世界で長年培われてきた、検証と修正を重んじる文化は、この作業にぴったりだと言える。

＞GPT-4との対話は ウェブ検索とまったく違う成果をもたらす

この章の内容についてリサーチを始めた当初、私はGPT-4に「過去10年間で、報道機関が重要なニュースを速報する際にAIを使ったレポートが役立った有名な事例があれば、いくつか紹介して」という質問をした。

するとすぐに、とても具体的で詳細な回答が出力されたが、なかにはいくつか間違いも含まれていた。GPT-4がときどき嘘をつくことは知っていたので、回答をほかのソースと照らし合わせる必要があるのはわかっていた。そうした作業では、GoogleやWikipediaが役に立ったのは間違いない。

とはいえそれでも、私がこのトピックについて理解を深めるうえで鍵となったのはGPT-4だ。確かにGPT-4が出力した情報には一部間違いもあったものの、ほとんどは正しかった。そしてなにより、そうした情報をきわめてスピーディーに提供してくれた。

同じような情報をGoogleで検索すると、何十ものリンクが検索結果として出てくるが、そのなかには役に立ちそうなものもあればそうでないものもある。Wikipediaでも、多少の違いはあれ、ほとんど結果は同じだ。

だが、GPT-4なら、幅広いソースから拾った情報を瞬時にまとめられるため、望みどおりのリストがあっという間にできあがる。

そのリストのなかには間違いもあったが、それは大きな問題ではない。なぜなら、ここが大切なところだが、私は完成品を探していたわけでもなければ、それがいきなり手に入ることを期待していたわけでもなかったからだ。これから先、どのような質問をすればいいのかについて手短に感覚をつかむために、裏付けのある情報の出発点と、深掘りしていく分野の大まかな地図が欲しかったのである。

そうしてリサーチの方向性にあたりをつけたあと、私は時間をかけて、AP通信、ロイター、ワシントンポスト、ブルームバーグニュース、ガーディアン、ニューヨークタイムズなどのメディアが、ニュースの取材、製作、配信やその他の事業をおこなっていくうえでどのようにAIを使っているかをGPT-4に質問した。ただ、正直に言って、この工程には思っていたよりもはるかに手間がかかった。

というのも、GPT-4とのやりとりはこれまでのウェブ検索とは勝手が違ったからだ。どちらかと言えば、ウェブ1.0の黎明期によく聞かれた「ネットサーフィン」という表現がぴったりくるようなものだった。つまり、対話を進めるごとに、そこに流れのようなものが生まれてくるのだ。GPT-4に何か質問をすると、リンクの羅列ではなく、関連性の高い情報をただちに答えてくれる。

するとすぐに新たな疑問が湧いてくるので、それをふたたび尋ねることになる。こうすることで、従来の検索エンジンを使ったやり方では、「ああ、このリンクはAIやジャーナリズムにはあまり関係なさそうだな……」と流れがぶつ切りになり、フラストレーションがたまりがちだった調べものが、段階を追うごとに気づきがあり、着実に理解が深まっていくプロセスだという感覚に変わった。

これこそ、GPT-4の兄弟分であるChatGPTが絶大な支持を受けている大きな理由だと思う。そのプロセスそのものに、やりとりを通じて勢いが生まれ、1つの質問の答えに対してさらに10の質問をしたくなるような、ある種の知的興奮の高まりがある。

また、ここにいたって、この現象こそが本章でメインとして取り扱うべきものだと私は気づいた。当初は、ジャーナリズムの自動化にスポットを当てて、報道機関がすでにデータベースやテンプレート駆動型のAIシステムを使って、企業の収支報告や天気予報、スポーツイベントなどに関する数多くの記事を作成しているのを説明することになるだろうと思っていた。実際、ジャーナリズムの自動化が、報道機関にとって戦略上のチャンスなのは間違いない。だが、GPT-4と対話するなかで、私には違う道が見えてきたのである。

AIがジャーナリズムの世界に与える影響として、最もありえそうだと思うのは、GPT-4の存在そのものが視聴者のエンゲージメント（関与）を高めるという可能性だ。ニュースの配信を自分でコントロールできるようになれば、視聴者はいまよりもニュースが好きになり、結果としてより多くのニュースを求めるようになるのではないだろうか。

＞もっと、もっと！
問いがメディアの価値をさらに引き出す

個人の好みに特化したユーザー体験を提供することが、ここ30年以上にわたって、インターネットの発展の原動力となってきた。YouTube、Facebook、Amazonといったプラットフォームは、ユーザーが閲覧、消費したコンテンツをつぶさに観察したうえで、その人が好みそうなものをリコメン

ドしている（2年前にチェックしたスニーカーが、どのページに行ってもまるで迷子の子犬のようにあとを追いかけてくるのはあなたもご存じだろう）。

ニュースメディアのウェブサイトも同じようにパーソナライズされている。私がGPT-4に、AIがジャーナリズムに与えうる影響についてくり返し質問をしたときにも、何度も「パーソナライゼーション」がテーマとして出てきた。

そこで、GPT-4にパーソナライゼーションはどのように機能するのかと尋ねてみたところ、次のような答えが返ってきた。

ホフマン　ニュースメディアは、自社のウェブサイトをいまよりもパーソナライズするために、どのようなデータを使って視聴者の行動や好みを分析することになるだろうか。

∨

GPT-4　ニュースメディアのウェブサイトは、視聴者の位置情報や、使用しているデバイスの種類、閲覧履歴、過去に読んだりリアクションをしたりした記事などのデータを使用するでしょう。また、視聴者がソーシャルメディアでシェアした記事や、ウェブサイトでの滞在時間、あるいはどの分野の記事を最も頻繁にチェックしているかなどを分析に使うこともできます。さらに、視聴者の年齢、性別、関心事項なども、コンテンツのパーソナライズに利用できるでしょう。こうしたデータはCookie［訳注：ウェブサイトを利用した際に、ユーザーが入力したデータや閲覧履歴、訪問回数などの情報が記録されるファイル］やアンケート、ユーザーアカウントの情報などから収集可能です。こうしたデータを分析することで、ニュースメディアのウェブサイトは、コンテンツを視聴者の好みや興味に合わせてカスタマイズし、よりパーソナライズされたユーザー体験を提供できます。

要するにこの答えは、従来どおりのアプローチに関するものであり、あまり革新的なやり方とは言いがたい。

一方で、前にも述べたように、GPT-4と、とりわけその兄弟分であるChatGPT自体は、「対話型チャット」を通じて、非常に強力で、従来とは大きく異なるかたちのパーソナライゼーションをユーザーに提供している。

従来型のウェブベースのパーソナライゼーションは、ウェブサイトがつねに視聴者の行動を監視しつづけることで機能しているのに対し、GPT-4とChatGPTは、ユーザーの質問やプロンプトに対して、関連の深い情報をリアルタイムで返しているだけだ。ここには、LLMの動作の特徴がかなり明確に現れていると言えるが、同時に（いまのところ）十分には評価されていない点でもある。

だがじつのところ、GPT-4とChatGPTがこれほど注目を集めているのは、人間のように流暢なメッセージを出力できたり、多くの分野について専門知識をもっているように見えたりといったことだけが理由ではない。特定の商品や政治家などを宣伝するために設計されたチャットボットなどとは違って、GPT-4とChatGPTは、あなたの話したいことがどのようなものであれ[4]、そのテーマを掘り下げることが「可能」なだけでなく、「信じられないほど積極的に」話を進めてくれる。このような特徴が、高度にパーソナライズされたユーザー体験を生み出す原動力になる。GPT-4とやりとりするなかで、あなたはその場その場でつねに対話の内容を好みの方向に調整していくことになる。こうした高度なパーソナライゼーションは、GPT-4をどのような用途で使っても有効だが、ニュースメディアにとってはとくに大きなメリットになるにちがいない。

たとえばニュースサイトにアクセスして、次のような質問をすると、それに合わせて表示される内容が変わるのを想像してみてほしい。

4_ ただし、OpenAIによる安全規制に違反しないものに限る。

> > ヘイ、ウォール・ストリート・ジャーナル。今日最も読まれているテック系の記事を3つ、300字以内で要約して。

> > ヘイ、CNN。今日起きた、気候変動をめぐる動向を教えてくれ。関連する政策決定についてもよろしく。

> > ヘイ、ニューヨークタイムズ。今日掲載されたポール・クルーグマンのコラムに対して、君の会社の過去のニュース記事だけをソースにして反論できるかな?

> > ヘイ、USAトゥデイ。今日の記事のなかで、プロの教育関係者が興味をもちそうなものがあれば教えてれ。

> > ヘイ、FOXニュース。今日ついた読者コメントのなかで、とくに反響が大きかったものをリストにして見せて。

ちなみにこの場合でも、あくまでジャーナリストによる、ユーザー体験の出発点となる記事の作成がメインなのは変わらない。だが、この段階にいたると、視聴者は自分がどのようなコンテンツをどのようなかたちで閲覧するかについて、いまよりもはるかに主体的な役割を果たすようになる。

自社のウェブサイトにこうした機能を実装することで、メディアはChatGPTの成功の原動力である「1つの問いかけが10の質問を生む」というダイナミズムをフル活用できる。

さらにこの機能は、メディアの信頼を高めることにもつながる。なぜなら信頼とは言うまでもなく、お互いの関係性のなかで築かれるものだからだ。私は個人的には、幅広く多くのメディアを信頼している。それでも、これまで大半のメディアが、視聴者に生産的なかたちでかかわる、つまり、彼らを受動的な消費者としてではなく、能動的に参加するメンバーとして扱うための努力を精一杯やってきたとは言いがたいだろう。だがここで視聴者に、どのようなニュースをどのように取り入れるかを、これまで以上に自主的に選び取る力を与えることは、本当の意味でこの目的を果たす方法の1つとなるはずだ。

そして最後に、このような機能は、メディアがこれまでに生み出してきたあらゆる情報の価値を最大限引き出すことにもつながる。過去の情報にアクセスしやすくして、現在進行中の報道とうまく組み合わせることは、視聴者との関係性を深めるとともに、自社の透明性を確保し、説明責任を果たすという力強い宣言にもなる。

ちなみに、前述の仮の質問リストをつくる際に、私はあえて、視聴者が効果的にファクトチェックでき、しかもあるメディアの報道を、そのメディア自体をソースにして検証できるような具体例を混ぜておいた。何百万人もの「ネット監視員」が主要メディアに対して「フェイクニュースだ！」という言葉を投げつけるチャンスをいまかいまかと探しているこの時代には、これは自分の首を絞めるようなやり方に思えるかもしれない。

しかし透明性と説明責任は、真実の追求を望む社会における道標である。そして、誤報やデマに惑わされたり、あるいは情報があまりに多すぎて圧倒されたりしがちなこの世界においては、真実を求める人たちが、みずから守るべき価値を実践していくことがとても重要になってくる。

＞フェイクニュースをつくるAI、見破るAI

最近読んだ記事に、AIがジャーナリズムに与える潜在的なインパクトと深く関連しているものを見つけた。全文掲載する価値があると思うので、以下に引用しよう。

プーチン、AIによる情報操作ツールを大量破壊兵器と主張

文：アントン・トロイアノフスキー

モスクワ――西側民主主義諸国と長年敵対してきたロシアのウラジーミル・プーチン大統領は、火曜日、国営テレビで、フェイクニュースをはじめとする偽情報を生成しうる人工知能テクノロジーが、新たな脅威になっていると警告した。

プーチン氏は、少数のキーワードからリアルな文章や画像、動画を生成して世論を操作、分断し、真実への信頼を失わせる技術の例として、ChatGPTやDALL-EなどのAIツールの名前をあげたうえで、「こうしたツールは、わが国だけでなく地球上のどの国においても、多くの人を欺き、操り、傷つける可能性のある大量破壊兵器だ」と述べた。

さらに、こうした技術の開発がおこなわれているアメリカや中国の指導者たちには、ただちに開発を中止させ、国際機関と連携して悪用を防ぐ道義的義務があるとも主張した。「彼らがいま行動を起こさなければ、何十億人もの命と生活、加えてこの星の運命そのものを危険にさらす、新たなかたちの戦いの火種を解き放つことになるだろう」

専門家や活動家のなかにはプーチン氏がAIによる情報操作ツールの禁止を呼びかけたことを歓迎する者もいるが、一方で、これは他国に干渉したり、国内での反対意見や批判を抑えたりするために、彼自身が過去にこのようなツールやその他の方法を通じて情報操作をおこなってきたという事実から目をそらさせるための、ひねくれた偽善的な試みにすぎないとする声もある。また、プーチン氏はこれまで、さまざまなスキャンダルや疑惑への関与を否定し、嘘をついてきたことから、その誠実さや信頼性に疑いの目が向けられている。

エストニア外務省のスポークスパーソンである、クラ・カリユライド氏は「プーチン氏に、AIと情報操作の危険について説く資格などまったく

ない。彼自身がその両方を使いこなす達人なのだから」と述べている。

＊ ＊ ＊

念のため、読者が真に受けないように白状すると、この「記事」は私がGPT-4に頼んでつくらせたものであり、つまりはフェイクニュースだ。

確かに、これは人間でも書ける代物だろう。だが、この記事はたった数秒でつくれたし、しかもこれはAIにできることのほんの一部にすぎない。

実際、LLMがジャーナリズムにもたらしうる悪影響のなかでも最も懸念されているのは、偽情報が氾濫する可能性だ。そしてその次が、ジャーナリストの仕事が奪われることだろう。とはいえ、幸運なことに（という言葉がここでふさわしいかはさておき）この最初の懸念によって、2つ目の問題が起きる可能性は大きく下がると私は考えている。

なぜ、そうなるのか。

まずは2018年にスティーブン・バノンがジャーナリストのマイケル・ルイスに言い放った「民主党など問題ではない。真の敵はメディアだ。そして、メディアに対抗する方法は、そこをクソであふれさせることだ」という有名なセリフについて考えてみよう。

現時点では、Bing ChatやChatGPTのようなLLMには、統計的にいかにもありえそうな「真実」をつくり出そうと間違った試みをするあまり、期せずして事実とは異なる情報を出力しがちな傾向がある。そのせいで、悪意ある人が世論を混乱させるためにこうしたAIを悪用してあえて偽情報をまき散らすリスクがあることが見えづらくなっている。

だが、あきらかにその危険はある。

悪意ある人がそうした目的を果たすうえで、必然的にこうしたツールを手にし始めたとき、AIが生成する偽情報に的をしぼった新たな規制を求める声があがるのは間違いないだろう。一部のAIテクノロジーを完全に禁止するような動きすら出てくるかもしれない。だが、ネットワークがグローバルにつながっているこの世界では、片方だけを一方的に武装解除するのは有効な戦略とは言いがたい。

こうした流れをうまく制御するうえで私が望むのは、副作用のリスクをゼロにするという名目で反射的に技術の進歩を止めようとするのではなく、立法者とテクノロジーの開発者がお互いに協力し合って長期的な成果を重視した選択をすることだ。角を矯めて牛を殺すようなことは避けなければならない。

事態がどんな方向に動こうと、AIが出力したものか人間がつくったものかにかかわらず、偽情報に効果的に対処するには、AIツールによる検出が不可欠になると私は確信している。

さらに付け加えれば、世の中に正しい情報を供給しつづけることが、同じぐらい、あるいはそれ以上に重要だろう。

要は、正確で透明性の高い信用できる情報を、それを求める人が手間をかけることなく簡単に見つけ出せるようにしておく、ということだ。

ちなみにWikipediaは、多くの点で私がここで思い描く好例の1つである。Wikipediaは事実にもとづく情報の巨大なアーカイブであり、情報の追加や編集にあたって透明性の高い厳格な手続きが定められている。

さらに、よりはっきりとした出典の裏付けがある関連情報が、クリックするだけでつねに参照できるようになっている。各記事には、根拠となった情報元へのリンクを張ることができる。誰が、いつ、その記事を作成したのか、その後、誰がどのような編集を加えその人物がほかにどのような記事に手を入れているのか、さらにどの編集に対してどのような理由で疑問が投げかけられているかも、見ることができる。

これによりWikipediaでは、記載内容にその時点で提示されている「真実」がどのようにして形づくられていったかを、利用者が確認して評価し、結果としてその「真実」をどの程度信頼していいか（あるいは疑うべきか）を判断しやすいようになっている。

ただし、Wikipediaは数多くの自発的な寄稿者の努力で支えられているが、彼らもまた、プロの報道機関の仕事に大きく依拠している。なぜならWikipediaの大半の記事のソースは、そうした報道機関が公開した情報だからだ。多くの報道機関は過去1世紀以上にわたり、真実を追求するコンテンツを作成してきた。仮にこのコンテンツが利用できなかったとしたら、Wikipediaはいまのように役立つ情報源にはならなかっただろう。

とはいえ、当然ながらWikipediaはサイトの1つにすぎない。世の中を真実で満たすには、それを目指して行動する多くの主体が必要だ。報道機関はこの点で中心となる役割を果たせるし、また、果たすべきだと言える。ただそのためには、報道機関が革新を起こし、状況に適応していく必要がある。

報道機関は、偽情報の増大が、自分たちの相対的な価値をいかに脅かすかを知っている。2017年、CNNは「事実第一主義」への取り組みを宣言する、複数年にわたるマーケティングキャンペーンを開始した。また、ニューヨークタイムズも、「真実の追求は難しい」しかし「真実にはその価値がある」というメッセージを掲げた独自の広告キャンペーンを長期にわたって展開している。

だが、私たちがこうしたマーケティング以上に必要としているのは、事実や文脈、説明責任の検証を、透明性が高く一貫性があり、かつ周りにも共有できて、簡単に評価が下せるようなかたちで実行できる、新たなプロセスやフォーマットだ。

ニューヨークタイムズやFOXニュースのウェブサイトにあるすべての記事に現在ついている、メールやツイートでのシェアボタンと同じような形式で、「ファクトチェック」ボタンが追加されることを想像してみてほしい。

この新しいボタンを押すと、高度なAIツールを備えた第三者のサイトが、ただちにその記事内容の検証を始める。記事に示されている統計データは根拠のあるものなのか。そこまでの経緯に照らして適切に書かれているか。

引用されている内容の発信元はどのような人たちで、彼らに関してほかに何か有益な情報はあるか。その記事は、その話題全体のより大きな流れとどのように整合するのか。使われている画像や動画、音声はどこからとってきたものなのか。それは本物なのか、あるいは合成なのか。

報道機関が公開するすべての記事についてこのレベルの精査をするというのはさすがにやりすぎに思えるし、実際にもそのとおりだろう。それに、こうした仕組みを人力で実現しようというのは、あまりに時間やコストがかかりすぎて不可能だ。

しかし、AIが私たちにこれまでにないすさまじい力を与えてくれるのだから、それを積極的に活用しない手はない。本物と見分けづらい偽情報と、丁寧な取材と念入りな検証を経た情報が入り混じる世界では、私たちはよいものを簡単に識別できるようにするためにできるかぎりのことをしなければならない。

では、そうすればどのような効果が期待できるのだろうか。

まずは、世の中の情報を「積極的な評価や検証を促すもの」と「そうでないもの」に手早く分類できるだろう。

もちろん、フェイクニュースの真の問題は、それが偽情報だからというよりも、もともとの自分の考えを補強するためにそれを利用したがる人があまりに多いところにあるのは確かだ。とはいえ、情報の透明性を高め、説明責任を果たそうという文化が醸成され、少なくとも一部の記事の「成分」が、スープ缶の栄養表示のように見やすく、わかりやすいものになることに、何のデメリットがあるだろう?

もし、明確なイデオロギーを掲げたメディアを含め、数多くの報道機関が、このような方法で世の中に次々と真実を発信し始めれば、偽情報が取引されるマーケットに、大きな打撃を与えることができるかもしれない。

＞ジャーナリストなくしてジャーナリズムなし

私はここまで本書を書き進めるなかで、GPT-4のようなAIツールの普及がジャーナリズムの世界とジャーナリストたちにとって一世一代のチャンスになると主張してきた。

だが同時に、ジャーナリズムの現状がその妨げになるかもしれないことも暗に示してきた。生き残ることだけに汲々としている状態が長くつづいていると、成長のためにリスクを取るのは難しくなる。

それでも、信念にもとづいて真実を追求する必要性がかつてないほど高まっているいま、そこにはあきらかにチャンスが開かれている。新しいAIツールが登場したときに、それを斬新なかたちで活用する方法を見つけ出せる人にとってはとくにそう言えるだろう。新たなテクノロジーの活用は、これまでもジャーナリズムを成長させる大きな力となってきたし、ここからもう一度成長するうえでも、おそらくそれは変わらない。

では、これは時代に適応したいと思っている個々のジャーナリストたちにとってどのような意味をもつのだろうか？

まずは人間の側が、GPT-4のようなAIツールに慣れるためにできるかぎりのことをして、ものごとの流れを見つけてそれを語る新しい方法を経験すべきなのは、おそらく間違いないだろう。

だが同時に、GPT-4自体が、テクノロジーがジャーナリズムに与えるインパクトが大きくなっていくことに関連して、人の力の重要性をくり返し訴えていたことも事実だ。私たちの対話のなかから拾った例をいくつかあげてみよう。

GPT-4 AIは人間のジャーナリストの仕事を補強し、質を高める強力なツールですが、それに完全に依存するべきではありません。特定のトピックを正確かつ倫理的なかたちで報道するのに不可欠な、人間の判断力や経験が、AIには欠けている可能性があるからです。

GPT-4 人間のジャーナリストはプロとしての判断力や好奇心、背景知識などを活用して、ソースやデータ、情報を評価し、情報の抜けやバイアス、誤りなどを見つけ、AIツールには生成できない、あるいは見落としてしまうような、独自の洞察や視点、疑問などを提示できます。

GPT-4 AIが出力した見出しやキャプションは、事実関係に間違いがないか、倫理的に問題がないか、そのメディアのトーンや価値観に合っているかを確認するために、人間の編集者がレビューして承認をする必要があることに十分注意してください。

こうした発言を、知能をもった機械がうまくこちらをあしらうために言った、ただのお世辞にすぎないと切り捨てることも可能だろう。だが、その見方はうがちすぎだと思う。

その理由は、まず、GPT-4の答えのなかに多くの真実を見いだせるからだ。それにジャーナリズムはじつに人間的な仕事だ。好奇心、クリエイティビティ、強い倫理観に加えて、なによりも共感というレンズを通して事実を語ることが求められるし、それが報われる仕事でもある。

また、現実的な問題もある。GPT-4は火災現場に行って取材することはできないし、州議会議事堂で情報をくれそうな人物を見つけて、時間をかけて信頼を築く方法も知らない。それに、この世界で人間として生きていくことで身につく、道徳的に価値判断をしたり、状況を読んだりする力が欠けている。

話をまとめると、私が望むことは2つある。まずは、ジャーナリストたちが前向きに、いくぶん前のめりになってでもGPT-4のようなツールを取り入れて、みずからの成果を増幅させ、より生産的に働いてくれること。

そしてもう1つは、彼らがその過程で、人間としての判断力にもとづいてGPT-4の働きを監視し、その可能性をフルに引き出してくれることだ。

第5章

ソーシャルメディア

Social Media

「ミスター・ビースト」ことジミー・ドナルドソンは、わずか24歳にして、自身の複数のYouTubeチャンネルに合計で2億2100万人のチャンネル登録者を獲得。その総再生回数は350億回を超えている。あきらかに彼は、ものごとの規模を拡大させる方法に精通していると言えるだろう。

とくに印象的なのは、彼とそのチームが、動画の内容を正確に伝え、しかも見たくなるようなタイトルをつけるのがとても上手なことだ。

「大量の蛇の上に座れたら、100万円!」

「目の見えない人1000人が生まれて初めて世界を見る」

「5万個の磁石は弾丸を止められるのか?」

どれもどんな動画なのか一目瞭然だし、間違いなく見たくなる。あなたもいま、5万個の磁石は弾丸を止められるのか、気になっているのではないか。まさにコンテンツそのものがマーケティングの役割を果たしているのだ。

察しのいい読者ならおわかりかもしれないが、GPT-4がソーシャルメディアに与える影響について私が考え始めたとき、最初にやってみたのは、1時間ほどかけてGPT-4にさまざまなプロンプトを与えて、ミスター・ビーストの動画に使えそうなタイトルをつくらせることだった。その回答の大半はごく平凡なものだったが、GPT-4が次々と改良案を生むことに長けているのを考えると、ヒット率自体は高くなくてもいい。では、出た案のなかでとくによかったと思うものをいくつか紹介しよう。

ホフマン　「ランボルギーニ vs. ○○」をテーマにしたミスター・ビーストのおもしろ動画のタイトルを考えてほしい。

∨

GPT-4　「ランボルギーニ vs. 1万個の風船――ランボルギーニは浮くのか?」

ホフマン　ホットソースを使ったミスター・ビーストのわくわくするようなクリエイティブな動画のタイトルを考えてほしい。

∨

GPT-4　「プールをホットソースでいっぱいにして、友だちを泳がせてみた」

ホフマン　ミスター・ビーストが過激なマルクス主義者だったと仮定して、動画のタイトルをつくってみてほしい。

∨

GPT-4　「工場をまるごと1個買い取って、労働者たちに与えてみた」

ホフマン　世界最大の3Dプリンターを使って変わったものをつくる、奇抜で独創的なミスター・ビーストの動画のタイトルを考えてほしい。

∨

GPT-4 「3Dプリンターで巨大なアイスクリーム・コーンをつくって、フォークリフトを使って食べてみた」

ホフマン 民間企業による宇宙旅行をテーマにした、ミスター・ビーストのぶっ飛んだ動画のタイトルを考えてほしい。

∨

GPT-4 「イーロン・マスクを雇って、宇宙旅行のガイドをさせてみた」

私はミスター・ビーストの大ファンというほどではないので、ここでGPT-4のパフォーマンスを測るのに適任とは言いがたい。だが、1万個の風船でランボルギーニが浮くのか、見てみたくはないだろうか。少なくともミスター・ビーストと彼のチームが私と同じようにアイデア出しをしたらどんなことが起こるだろうと思わせるぐらいには、GPT-4は機能したと言えるだろう。

それに、アイデア出しが現実になったとしても、別に驚くようなことではない。YouTubeにはすでに、ChatGPTに関する動画が文字どおり何千個も上がっている。なかでも私のお気に入りは、ChatGPTを直接動画に参加させるものだ。たとえば、グラックルという名のインフルエンサーは動画のなかで、ChatGPTが考えたクッキー生地をたっぷり詰めたカップケーキのレシピを試作してみて「ホントにおいしい！　天にも昇るほどの夢のような組み合わせだわ！」と絶賛している。

ほかにも、ドクター・マイクと名乗る医師が、ChatGPTに医療に関するさまざまな質問をする動画もある。彼はとくに、医療倫理の細かいニュアンスに注意を払ったChatGPTの回答に「これは本当に賢い答えだ！」と、感心している。

> AIがクリエイターをパワーアップさせる

YouTubeのクリエイターたちが最近のAIの進化を熱狂的に歓迎していることは、私にとっては少しも不思議ではない。ソーシャルメディアはつねに、過去のやり方を嫌い、型破りな思考で次の一手を考える成り上がり者たちであふれているからだ。

ソーシャルメディアでは、これまでもAIがたびたび決定的な役割を果たしてきた。多くの主要なソーシャルメディア・プラットフォームでは、コンテンツモデレーションアルゴリズムが自動的に、スパムやヘイトスピーチ、偽情報やNSFHE画像[5]をはじいている。おかげで人間が時間をかけて内容を監視する必要がなく、ユーザーは自分の投稿をほとんどリアルタイムで公開できる。さらにAIによるアルゴリズムは、個人の好みに合わせて、おすすめのコンテンツや商品を調節するのにも役立っている。

ただ、AIがソーシャルメディアで問題を引き起こす場合もある。ユーザーエンゲージメント［訳注：サイトを訪れる頻度や、1回あたりの滞在時間などを指標として測られる、ウェブサイトへの愛着度］を最大限高めるように設計されたアルゴリズムによって、ユーザーはより視野の狭い、極端な内容のコンテンツにさらされ、フィルターバブル［訳注：インターネットのなかで泡に包まれたように自分の価値観に合わない情報から隔離され、見たい情報しか目に入ってこなくなること］やエコーチェンバー現象［訳注：同じような意見や価値観の人ばかりに囲まれることで、あたかもそれが絶対の正解であるかのように思えてしまうこと］を引き起こしかねない。あるいは、アルゴリズムが自動で生成した「思い出動画」のなかに、思い出したくない人物や出来事が出てきた場合、そのせいで本当に嫌な気分になってしまうこともある。

5_「Not safe for human eyeballs」つまり、「人間の目にとって危険な」画像。

ここでの大きなポイントは、よい面でも悪い面でも、ソーシャルメディアのユーザーはこれまで、AIが自分たちの体験を形成する過程にほとんど介入できなかったことだ。できることといえば、せいぜい、パーソナライズされた広告や思い出動画を非表示にするなど一部の機能をオフにするぐらいだった。GPT-4やDALL-E2を使うように、みずから主体的に選び取るようなかたちでAIを使用する機会は、最近まで与えられていなかった。

この点は本書全体を通して触れているテーマだが、とくに本章の内容とかかわりが深い。ソーシャルメディアは設立当初から、ユーザー同士が直接つながる民主的なコミュニティであろうとしてきた。そのコミュニティとは、プラットフォームの利用規約を守りさえすれば、「検閲」を受けずに意見を広く発信できるような場だ。

レコメンデーション・アルゴリズムが使われるようになったあとも、ソーシャルメディアは従来のメディアに比べて、ユーザーが自分の方向性や体験をみずから決定する機会が多い媒体でありつづけた。そこはユーザーにとって、ある程度、自主性が確保されていると思える場であり、同時に、それを拡充していくための新たな手段をみずから探すのが当たり前でもあった。

さらに、ソーシャルメディア上のコンテンツクリエイターたちは、駆け出しのころはとくに、さまざまな役割をこなしている。新人のユーチューバーは、自分のチャンネルの出演者であると同時に、プロデューサー兼、ディレクター兼、脚本家兼、編集者兼、広報担当でもあることが多い。

こうした状況でAIはあきらかに役に立ち、クリエイターの生産力を増幅させる強力な手段となるだろう。だが、これはパラドックス（逆説）のようにも思える。実際に手を動かして自分でコンテンツをつくり出せること、それが間違いなく本人の手による本物であることこそがソーシャルメディアの真価であり、クリエイターも視聴者も、ソーシャルメディアの身近で自然な、人間味あふれるところに価値を見いだしているはずだからだ。

そのためAIは一見、ソーシャルメディアにはそぐわないように思える。だが、たとえばソーシャルメディアの象徴とも言える「自撮り」は、ある種の美しさの追求であると同時に、テクノロジーの進歩による産物でもある。以前よりもはるかに手軽にスナップ写真を撮れるようになったのは、スマートフォンのハードの規格化が進み、より洗練されたおかげだからだ。

そして、AIはこのような流れをさらに力強く後押しするだろう。

＞私はボットなのか？ それとも人間なのか？

人間による「本物」の投稿は、おそらくソーシャルメディアという世界では通貨のようなものだろう。だが、そこでは実際には、多くの「偽造」がおこなわれている。これはInstagramに投稿する写真に常夏がテーマのフィルターをかけると、その黄金の輝きによってリアルとつくり物の境界線があいまいになるというような、見た目だけの問題ではない。私が言っているのは、フェイクニュース記事や、改ざんされた動画、Twitter上に現れるアイオワ州の農家を名乗る人物が、実際には農家でもなければ、そもそも人間ですらないといった、害になりうる偽物についてだ。

すでにボットやディープフェイクがあるというのに、さらにこの種のAIが加わっても本当に大丈夫なのだろうか。

このテーマはすでにジャーナリズムの章でも取り上げたが、本章でも議論する価値は十分ある。偽情報の拡散をこれほど容易にしたのは、結局のところソーシャルメディアだからだ。

だが、最初からそうだったわけではないことは覚えておくべきだ。黎明期のソーシャルメディアは、ネットの世界に透明性と誠実さをもたらす場合が多かったのだ。

たとえば、20年前に私が共同創業者とともにリンクトインを立ち上げたときは、「サイバー空間」と「リアルワールド」の垣根が急速に崩れつつあることが大きなモチベーションになっていた。当時インターネットは、人々がハンドルネームの仮面をかぶって仮の姿で訪れる場所ではなく、実生活を充実させるための場として発展しつつあった。ネットに接続するのは、何かを買い、家族と連絡を取り、現実につながりのある友だちとの予定を立てるためだった。そんな状況のなか、私と仲間たちは、リアルなアイデンティティにもとづいたデジタルプラットフォームがあれば、何億もの人にとって大きなメリットになるのではないかと思い立ったのだ。

そしてリンクトインでは言うまでもなく、職業的なアイデンティティに焦点を当てた。プラットフォームとしての信用を得るために、私たちは各ユーザーのアイデンティティを交友関係のネットワークのなかに位置づけることにした。これにより、何もないところから架空の人物をつくり出すことはできなくなり、ほかのユーザーは、あなたが自己申告どおりの人間であることをしっかりと確認できる。

その1年後にはFacebookが登場するが、当初、参加者は大学のメールアドレスをもつ学生に限られていた。また、新規ユーザーの顔写真のアップロードは強制でこそなかったものの、同社はあきらかにそれが当たり前のルールになるのを望んでいた。

こうしたアプローチによって、ソーシャルメディアはオンライン上に初めて、リアルなアイデンティティを意味のあるかたちで根づかせた。だが同時に、利用者の裾野を広げようとするあまり、人の手によるものか機械で自動化されたものであるかはさておき、さまざまな不正行為にさらされやすくなった。これはほかの場所でも言っていることだが、私は世の中のソーシャルメディア・プラットフォームの大半が、とくに利用者が数億人規模に拡大していく際に、そのオンラインコミュニティでどれほどのガバナンスが必要になるのかを過小に見積もっていたのではないかと思っている。

時が経つにつれ、多くのソーシャルメディア・プラットフォームは、偽情報や詐欺といった不正行為対策としてAIツールを駆使し、ガバナンスを大幅に強化していった。だがこの戦いはいまもつづいている。たとえばFacebookは現在、四半期ごとに10億個以上の偽アカウントを削除している。これから一般人のAIツールの利用を制限しようとしたところで、詐欺や不正行為を試みようとするケースはあとを絶たないだろう。

先に進むうえで、最も効果的かつ公平なのは、AIの利用を無理やり禁止しようとすることではなく、新しいアプローチを考えることだろう。ジャーナリズムの章で述べたように、「世の中を真実で満たす」ことが、偽情報に対抗する鍵となるはずだ。

また似たような話として、この先、ソーシャルメディアのユーザー、とりわけコンテンツをつくる人たちが、自分が人間だと証明するための新たな方法を生み出し、実行するようになるのではないか。そしてプラットフォーム自体も、黎明期からつづくリアルなアイデンティティをネットにひも付けるための努力を継続し、拡大していくだろう。

それが具体的にどのようにおこなわれるかは、私にはわからない。ただ、人間そっくりの表現をAIができるようになると、本物の人間はみずからの実在を証明する方法を探す運命にある気がしてならない。つまり、「世の中を人間性で満たす」ようになるのではないか。

これを聞いて、なぜそんな面倒なことをしなければならないのか、結局のところ効率化しか考えない輩(やから)に、スパムやSEO対策のコンテンツでウェブが埋めつくされるような世界が来るだけではないのか、と思う人もいるかもしれない。だが、ここでは2つの重要な事実をつねに念頭においておく必要がある。

1つ目は、人間のようなコミュニケーションができるAIは、決して人を欺くためにつくられたものではないということ。すべては人間がそれをどう使うかにかかっているのだ。実際、あらかじめ人間ではないことをあきらかにしたうえで運用されているカスタマーサービスのチャットボットは、かなり信頼性の高い行動を取っている。

2つ目は、AIは不正に使われれば混乱を招く可能性があるものの、透明性の高い方法で正しく使えば、大きな価値を生み出すということだ。

＞全員がチャットに参加するようになる

チャットボットが決まり切った応答ではなく、人間のように流暢な答えを返してくれる場合、いかに多くの人が喜んで会話するかを、ChatGPTは1週間も経たないうちにあきらかにした。だとすれば、すべての航空会社や配送サービス、オンラインの小売業者、政府機関が、GPT-4のようなチャットボットを配備し始めたら、世界はどう変わるだろうか。

さらに、ソーシャルメディアでも同じことが起きたとしたらどうだろうか。チャットボットバージョンのミスター・ビーストやミシェル・オバマ、ベンジャミン・フランクリン、マージ・シンプソン、あるいは世界でも最高の高校数学教師やB2Bマーケティングのプロフェッショナルとじっくりと話ができるようになったとしたら、どうなるだろう?

私はそうした世界が来月、あるいは来年にも実現すると言うつもりはない。だが、こうした大規模言語モデル（LLM）のチャットボットが最終的には、個人が自分の考えや価値観、個性や創造性を、時空を超えて発信するために使うメディア形式（本、ポッドキャスト、教育ビデオやミュージックアルバムなど）の仲間入りをすると考えている。

とはいえ、少なくともLLMがハルシネーション（幻覚）やその他の予期せぬ結果を無視できないほどの割合で出力しつづけるかぎり、リスクがあるのは間違いない。そのため、たとえばミシェル・オバマのような地位も名誉もある人物がこのような変化を主導するとは思わない。

むしろ、リスクをいとわず、アーリーアダプターに大きな見返りがある新分野の開拓に乗り出していく人たちがリーダーになるのではないか。さらにいえば、その多くがソーシャルメディアの世界から出てくるのではないかというのが私の予想だ。

その理由の1つは、こうしたチャットボットがソーシャルメディア共通の問題に対処するにあたって、有効かもしれないからだ。話をわかりやすくするため、ここでは「コデュッセウス」という架空のユーチューバーを想定しよう。彼は25歳のソフトウェア開発者で、「クリックベイト」という名の飼い猫とともに、改造したバンに乗って北米中を旅して回っている。

コデュッセウスは新しい目的地に到着すると、たいていはAirbnbで見つけた最もユニークな部屋に泊まるが、空き部屋がなかった場合はバンのなかで過ごす。1人でコンピューターを使って仕事をしている姿はたいして「映える」ものではないので、毎週YouTubeに投稿している動画に使える素材を求めて、新天地のなかを探し回ることにかなりの時間をかける。自分のチャンネルのネタになることを期待して雑用を引き受けることもあるし、地元の人を相手に、こうしたデジタルノマドライフを実践する方法を教えるセミナーを開くこともある。

チャンネル開設当初、コデュッセウスは、視聴者のすべてのコメントに24時間以内に返信することを心がけていた。そのようにこまめに反応を返すことによって、一見の視聴者がリピーターになり、さらにはチャンネル登録者になってくれることを彼はすぐに理解した。だが、登録者が15万人を超え、新しい動画を投稿すると1000件以上のコメントがつくようになったいま、返信が追いつかないケースが増えてきた。

そこでソフトウェア開発者を本業にしている彼が、AIが自分の手助けをしてくれると考え始めても、何の不思議もない。最初は、視聴者がYouTubeに残したコメントへの返信をなんとか自動化できないかと考えていたのだが、あるときから、自分自身をコピーした本格的なチャットボットをつくれたらもっとおもしろいのではないかと思うようになった。そうすればファンに対して、いつでも、より深いかたちで自分と交流できる機会を提供できるかもしれない。ファンが自分のコンテンツやキャラクターのどこを一番気に入っているのかを本当の意味で把握できるかもしれないし、収益も増えるかもしれない、と。

では現時点でコデュッセウスのような人が、どうにかして独自のLLMチャットボットをつくることは可能なのだろうか。

この質問をGPT-4にぶつけてみたところ、以下のような答えが返ってきた。

ホフマン GPT-4が一般に広く公開されていて、価格も手頃で拡張性があり、さらに汎化性能［訳注：未知の事柄に対する予測能力］や一貫性、多様性という点でGPT-3よりもはるかに進化しているものとする。この仮定が正しいとして、15分の動画100本分のトランスクリプト（字幕）と2万ワード以上のブログのアーカイブ、2000件以上の視聴者のコメントへの返信、さらに500件以上のRedditへの投稿データをもっているコデュッセウスという名のユーチューバーは、これらを使って、話し方の特徴や、感性、価値観、ユーモアのセンス、興味の方向性や願望など彼自身の個性を伝えられるようにチューンアップしたGPT-4をつくることはできるのだろうか。

GPT-4 可能性としてはイエスです。コデュッセウスという名のユーチューバーは、そうしたデータを使って、話し方の特徴や、感性、価値観、ユーモアのセンス、興味の方向性や願望など彼自身の個性を伝えられるようにチューンアップしたGPT-4をうまくつくることが可能かもしれません。GPT-4が一般に広く公開されていて、価格も手頃で拡張性があり、さらに汎化性能や一貫性、多様性という点でGPT-3よりもはるかに進化しているものだとすれば、コデュッセウスは、自分が書いたり話したりしてきたコンテンツの大量かつ多様なコーパスを利用して、AIをトレーニングし、彼独自の声や話し方の特徴をつかんだモデルに調整できるかもしれません。また、視聴者からのフィードバックやソーシャルメディアでのやりとり、その他の関連するトピックやトレンドなどの情報を追加してモデルを改良し、アップデートすることもありえます。独自のデータを使ってGPT-4をチューンアップすることで、コデュッセウスはこれまでのコンテンツと整合し、首尾一貫する、クリエイティブなだけでなく、彼自身の性格や好みを反映したコンテンツをつくり出せる可能性があります。さらに、このモデルを使って、ファンと交流したり、質問に答えたり、さまざまな問題について解説したりもできるかもしれません。しかし同時にコデュッセウスは、自分のモデルを使用する際は、十分に注意して道義的責任を果たし、視聴者やチャンネル登録者に対して、自分がGPT-4を使っていることを開示し、公に認める必要があります。また、モデルがアウトプットするものを監視、評価し、エラーや偏り、不正確な点があれば修正しなければなりません。さらに、第三者の知的財産権やプライバシーを尊重し、情報の盗用を避け、そのソースを明確に提示しなければいけません。そして最後に、自分自身の信頼と誠実さを失わないようにし、自己表現をしたり、自分のコミュニティのメンバーたちと交流したりする際に、モデルの使用に頼りきりにならないようにする必要があります。

要するに、コデュッセウスのような人物なら、独自のチャットボットをつくれる可能性はすでに十分にあるということだ。

もちろん、YouTubeのトランスクリプトやブログの記事などのソースデータを、AIモデルのチューンアップ用に整えるのにはそれなりの時間と手間がかかるだろう。ただしそれさえできれば、OpenAIが提供するリソースはとても安価に利用できる(このコデュッセウスの例でいえば、チューンアップに際してOpenAIから請求される料金は、おそらく30ドル程度だろう)。

またここでもGPT-4は、透明性の確保や人間による継続的な監視、人間とAIがお互いに補い合うことなど、本書で私がここまでたびたび取り上げてきた要素の重要性を強調している。もしコデュッセウスがチャットボットを使っていることをオープンにして、このデジタル上の存在を（本物の自分に見せかけるのではなく）自分を拡張するものとして公に認めるなら、彼のチャンスは増えていくだろう。

最終的にはチューンアップした自分のモデルを複数つくれるかもしれない。1つはプログラミングの授業用、もう1つはデジタルノマドの実践法のレクチャー用というように。また、飼い猫のクリックベイトのように振る舞う、「キャットボット」をつくってもいいかもしれない。

こうしたものの一部は有料会員限定公開になるかもしれないし、チャットボットにときおり商品やサービスを紹介させて広告料をもらうといった可能性もある。いずれにしても、これらの手段は広告のスポークスパーソンやビジネスコンサルタント、あるいはイベントの講演者としてのコデュッセウス本人の価値を高める。それはすでに、本やポッドキャストなどをはじめとするメディアのかたちをした成果物が果たしている機能と同じだ。

＞ソーシャルメディアAI
――新世代がやってくる

2005年にYouTubeが登場したときは、世界でも最大規模の教育用・参照用リソースに成長するとは誰も予測していなかった。そこからぞくぞくと億万長者が生まれることになると思っていなかったし、リアクション動画、メイクアップ動画、開封動画、ASMR［訳注：Autonomous Sensory Meridian Response（自律感覚絶頂反応）の略。視覚や聴覚を刺激することで見るとゾクゾクするような効果を生み出す］動画といったさまざまなジャンルが急成長し、世の中のコンテンツの主流になるとも予想していなかった。

だが、数多くの革新的なクリエイターが、新しい強力なツールと機能を駆使して、独自の奇想天外なアイデアと情熱を追求し始め、そこで奇跡が起きたのだ。

そしていま、これと同じ流れがAIでくり返されようとしている。本章で私が取り上げたチャットボットの例は、数ある可能性の1つにすぎない。真の意味で「コードを解き明かす」人はきっと、まだ誰も考えてもみなかったようなアイデアとアプローチを通して奇跡を成し遂げるのだろう。そして、その先には、創造性にあふれ、衝撃的な体験に満ちた、驚くべき未来が待っている。

第6章

仕事が激変する

Transformation of Work

私が大学を卒業した1990年には、「ウェブデザイナー」「SEOストラテジスト」「データサイエンティスト」などの仕事は存在しなかった。

その13年後の2003年に、仲間とともにリンクトインを立ち上げたときも、「ソーシャルメディアマネージャー」「TikTokインフルエンサー」「バーチャルリアリティアーキテクト」といった肩書きのユーザーは1人もいなかった。

これから私たちは、GPT-4をはじめとするAIにより、あらゆる業界の動向や働き方、キャリアパスに大きな変革が起きるのを目にするだろう。みずからのワークフローに、最も革新的かつ生産的な方法でAIツールを組み込む方法を見つけた企業や職種、個人が最高の成果を上げる。逆に、この変化に戦略的に適応できない者たちは、変わりゆく市場のなかで、存在価値や競争力を維持するのに苦労することになる。

私に言わせれば、いまAIを無視するのは、1990年代後半にブログを、

2004年前後にソーシャルメディアを、2007年にスマートフォンを無視するのと同じである。AIツールを使いこなす能力は、程度の差こそあれ、あらゆるプロフェッショナルにとって必須になっていくだけでなく、新たなチャンスや仕事を生み出すおもな原動力にもなるだろう。そのためのスキルや能力をいま身につけておけば、この先何年にもわたって大きなメリットを得られるはずだ。

ただし、AIがもたらす変化には、ポジティブなものだけでなくネガティブなものもある。過去に技術革新が起きたときにも、職人の手仕事が工場での生産に取って代わられたり、より最近のケースでは、工場の自動化が進むことで現場の労働者が仕事を失ったりと、特定のグループが大きな影響を受けた。

そしていま、知識労働者も同じ課題に直面することになった。私はこうした新しいAIツールが、新たな仕事や産業を生み出して大きな経済効果をもたらし、生活の質を全体的に向上させると信じている一方で、AIのせいでブルーカラーかホワイトカラーかを問わず、一部の仕事がなくなってしまうとも予想している。

政策立案者やビジネスリーダーは、この現実を踏まえたうえで、スムーズに移行できるようにさまざまな手段を講じられるはずだ。たとえば、労働者が新しいスキルを身につけるためのトレーニングや再教育のプログラムへの投資がその1つだろう。また、従来の仕事が自動化されたことで影響を受ける労働者たちのために、セーフティネットをつくる必要も生じる。

だが、いまこの瞬間に最もよい方向に舵を切るには、前向きな視点が必要だ。かつてフォードのモデルTやApple IIを受け入れたときと同じような気持ちで、AIを受け入れるべきだと私は思う。これまで、革新的な技術はつねに未来の仕事を生み出してきた。それはきっと今回も変わらないはずだ。

＞AIのアドバイスでキャリア戦略が変わる

私は2012年にベン・カスノーカと共著で『スタートアップ！――シリコンバレー流成功する自己実現の秘訣』（日経BP刊）という、現代のキャリアマネジメントをテーマにした本を出版した。私たちはそのころ、キャリアに関する世間の話題が、「会社に就職して、出世の階段をのぼり、引退のお祝いの金時計を贈られて、年金をもらえるようになるまでそこで勤めあげる」という従来のモデルに集中しすぎていると感じていた。みんなが現実に合わなくなった古い教えにしがみついて、それがなくなりつつあることを嘆くばかりだったのだ。

それよりも雇用の流動性が高くなった世界で通用する新たな教訓を学び、これからの時代に適応したほうがはるかにいいと、私たちは考えた。

それから10年後の2022年、私たちは同書の改訂版『スタートアップ的人生（キャリア）戦略』（ニューズピックス刊）を発表した。このバージョンでは、ギグワーク［訳注：雇用契約を結ばない、単発かつ短時間の仕事］の急増や、新型コロナウイルスのパンデミックの影響、リモートワークとのハイブリッド型の働き方への移行など、そのあいだに起きた大きな変化も組み込んでいる。

いずれAIの台頭をカバーするために第3版を書かなければならないかもしれないが、その出版は2032年まで待つ必要はない気がする（もっとも、確たることは言えないが、第3版にはGPT-4が共著者として名を連ねているかもしれない）。

確かに、さまざまな変化によって、古いキャリアモデルは成立しにくくなるだろう。むしろ、その変化がもたらしてくれる新たな機会を楽しむほうが、はるかに生産的だ。人はみな「これから何をすればうまくいくのか」をみずから考える必要がある。

この点について、考えられるテーマをいくつか探ってみよう。

ホフマン　各分野のプロフェッショナルたちは、リード・ホフマンとベン・カスノーカの共著『スタートアップ的人生（キャリア）戦略』に書かれた、キャリアマネジメントの主要なコンセプトやアドバイスを実践するにあたって、AIをどのように活用できるか？　箇条書きで答えてほしい。

∨

GPT-4

――自分のスキルや経験、関心事項を分析させて、自身の目標に合うキャリアの可能性を見定める。

――ネットワーキング戦略や、自分のブランド価値を高めるための個性に合わせた戦略を提案させる。

――キャリアアップを手助けしてくれる、よいメンターやアドバイザーを推薦させる。

――よりよい決断ができるよう、実際に行動を起こす前に、リスクや失敗につながりそうなポイントを特定させる。

いかにもGPT-4のようなツールは、キャリアの可能性を見定め、よいメンターやアドバイザーを見つけ（もちろん、そうして見つけた人たちに実際にメンターやアドバイザーになってもらえるかどうかは、あくまでその人自身の努力にかかっているが）、これから取ろうとしている行動のリスクや失敗しそうなポイントを特定するのに役立つだろうし、具体的なネットワーキング戦略を提案させることも可能だろう。ただ、自身のブランド価値を高めるための個性に合わせた戦略は、言うまでもなく個人的なものになるはずであり、それをどうやってAIが提案できるのだろうか？

ホフマン　作家であり、ベンチャーキャピタリストでもあるベン・カスノーカが自身のブランド価値を高めるために、彼の個性に合わせた総合的な戦略を提案してほしい。そのなかには、彼の現在のブランド価値のまとめや、そのブランドを洗練・向上させる方法、さらに、自分で自分を売り込む際に取るべき具体的な行動などを含めること。

GPT-4 ベン・カスノーカの現在のブランド価値は、優れた作家であり、ベンチャーキャピタリストであり、テクノロジー愛好家であることです。彼は『ALLIANCE――人と企業が信頼で結ばれる新しい雇用』(ダイヤモンド社刊)、『スタートアップ的人生(キャリア)戦略』、『Bold』などの著書で知られていて、Village Globalというベンチャーキャピタルファームのパートナーでもあります。彼のブランド価値を高めるには、テック業界での知名度を上げ、専門性をアピールすることが有効かもしれません。ブランド価値を広めるために、ベンは以下のような戦略を検討すべきです。

――テクノロジー関連の会議やイベントに登壇して業界での知名度を高め、オピニオンリーダーとしての地位を確立する。

――ソーシャルメディアでの影響力を利用して、自身の著書や記事、講演会を宣伝する。

――テクノロジー界のトップインフルエンサーと交流して、ネットワークを広げ、業界の重要人物たちと関係を築く。

――ポッドキャストやウェブでの連載をはじめ、より多くの視聴者とかかわり、自身の知識や知見をシェアする。

――業界の雑誌やウェブサイトに記事を寄稿し、専門知識をアピールするとともに、自分の仕事を世の中に広める。

――起業家コンテストやハッカソン[訳注:ハックとマラソンを組み合わせた造語。ソフトウェア開発の関係者が集まって、短期間で集中的に開発をおこなう]に参加して、知名度を高め、起業家たちと人脈をつくる。

――個人のウェブサイトを開設して、自分の仕事を紹介するとともに、視聴者に交流の場を提供する。

悪くない回答だ。ただ、事実関係に間違いがある。『Bold』(邦訳『ボールド 突き抜ける力――超ド級の成長と富を手に入れ、世界を変える方法』日経BP刊)は実際にはピーター・ディアマンディスとスティーヴン・コトラーの共著であり、ベンが初めて出した本は『My Start-up Life』(邦訳『中学生ベンのe起業奮闘記――あなたもやれる!まず一歩を踏み出そう』オーム社刊)だ。

さらに見逃せないのは、GPT-4の提案がかなり一般的なものであり、このアドバイスのなかに個人に合わせた要素が何もないことだ。

それなら、もっと一般的な質問をしてみよう。

ホフマン AIのテクノロジーやツールが広く普及し、人間の働き方が大きく変わってしまった未来で、各業界の若きプロフェッショナルたちが、自身のキャリアをうまく管理して、加速させ、より有意義で充実した仕事を見つけるためにAIを活用するとしよう。最も効果のありそうな方法をいくつか提案してほしい。

∨

GPT-4

――キャリアプランニングの自動化。AIは、十分な情報にもとづいて意思決定することを助け、キャリアを発展させていくうえで、個人に合わせたアドバイスができます。また、AIのアルゴリズムによって個人プランを作成し、成功への道筋を立てることもできます。

――身につけるべきスキル特定の自動化。AIは、現在のスキルを評価し、キャリアアップのためにこれから身につけるべきスキルを特定できます。それにより、業界の最新動向を把握しつつ、競争力を維持するスキルを磨くことができます。

——ジョブマッチングの自動化。AIは、個人のスキルや経験に最もマッチした求人情報を見つけやすくします。AIのアルゴリズムを活用すれば、自分にぴったりの求人情報をリコメンドしてくれます。

——履歴書のブラッシュアップの自動化。AIは、個人のスキルや経験をアピールする完璧な履歴書をつくるのに役立ちます。AIのアルゴリズムを使えば、履歴書を引き立てるのに最適な単語やフレーズの組み合わせを見つけられるでしょう。

——面接準備の自動化。AIは、個人に合わせたアドバイスをして、面接の準備を手助けできます。AIのアルゴリズムを使って職務経歴書を分析すれば、面接で聞かれそうな質問を予測できるでしょう。

GPT-4は、「自動化」と「アルゴリズム」という言葉に頼りすぎているように見えるが、それでもこのアドバイスはまっとうなものに思える。

私が「人間の知能」で考えた答えは、人がキャリアという船の舵を握っているとすれば、AIはその副船長の役割を果たすというものだ。ちなみに『スタートアップ的人生(キャリア)戦略』という本では、個人のキャリアはスタートアップ企業に似ており、本人はそのCEOであるという考え方が核になっている。スタートアップのCEOは孤独でストレスの多いポジションであり、多くの不安を抱え、その場に立ちすくんでしまうようなジレンマにさらされる。少しでもこの仕事をやりやすくする方法の1つは、自分をサポートしてくれる顧問団をつくることだが、そのアプローチにも限界がある。

顧問も人間なので、いつでも相談できるわけではない。だが、GPT-4をはじめとするAIツールなら、アドバイザーとして、あらゆる状況を分析して選択する手助けを、こちらの要求に応じていつでも、しかも瞬時に実施してくれる。もちろんGPT-4の提案がすぐに役立つものだとは限らない。それでも、さらなるアイデアのきっかけになったり、たたき台として使えたりすることもあるため、頭が真っ白なまま一歩も前に進めないよりははるかにいいはずだ。

＞社員のやる気を引き出す マネジメントの強い味方

ベンと私は『スタートアップ！』（日経BP刊）を出版したあと、すぐにあることに気づいた。それは、プロフェッショナルとして働く人たちが新たな枠組みでキャリアを築くようになれば、そうした起業家精神あふれるプロフェッショナルと働くために、雇用主やマネージャーの側にも新たな枠組みが必要になることだ。

そこで私たちは、古い友人であるクリス・イェに声をかけて、2冊目の共著である『ALLIANCE』で、このテーマを深掘りしていくことにした。

この本のおもなメッセージは、組織や経営者は、社員との関係性について時代遅れのとらえ方をしているのではないか、というものだ。多くのCEOは社員を家族だと思いたがっているが、家族という言葉は、永遠につづく決して壊れることのない関係を思わせるものであり、これは現代の職場では現実的ではないだろう。また逆に、社員を自由契約のフリーエージェントととらえるあまり、信頼や忠誠を得られずに、長期的な価値を生み出せないリーダーたちもいる。

そこで私たちが考えるよりよい方法は、社員との関係を「同盟」として、つまり、それぞれが独立した存在でありながら、共通する重要な使命を果たすために集まっており、かつ「何をもって成功とするのか」「その成功が、どのように事業を強化し、彼ら自身のキャリアアップにつながるのか」について明確な合意をした存在としてとらえることだ。

ではここで、AIの助けを借りてみよう。

ホフマン 2014年に出版されたリード・ホフマン、ベン・カスノーカ、クリス・イェの共著、『ALLIANCE』に示された経営コンセプトを実現し、アドバイスを実行するにあたって、組織や経営者はどのようにAIを活用できるか？　経営者と社員との同盟関係の築き方、双方にメリットがある目標を実現するために必要な社員の「任務」、経営者が元社員のネットワークをつくってつながりを持ちつづける方法には必ず触れてほしい。答えは箇条書きにすること。

∨

GPT-4

——AIは、経営者と社員の結びつきを強くします。パフォーマンスや仕事への満足度をリアルタイムにフィードバックできるためです。

——AIは、経営者と社員双方にメリットがある目標を実現するために、社員にどんな「任務」が必要かを規定する際に役に立ちます。

——AIは、経営者が元社員のネットワークをつくり、つながりをもちつづけ、元社員のモチベーションやスキル、経験を理解する際に役に立ちます。

——AIは、企業がそれぞれの社員に合わせてアドバイスやサポートを提供し、信頼や協力を大事にする文化をつくるために役立ちます。

——AIは、社員が業績や目標に関する最新情報を得やすい環境と、透明性が高いオープンな文化をつくるのに役立ちます。

——AIは、各社員に合わせた研修やスキルアップの機会を与えられるようにして、学びと継続的な改善を重視する文化をつくるのに役立ちます。

──AIは、企業が、社員にタイムリーなフィードバックや評価を与えるのを助けることで、社員の実績に対する評価・報賞制度を確立するのに役立ちます。

『ALLIANCE』とはまるで関係ない内容もあるが（たとえば、私たちは同書のなかでは「学びの文化」や報賞制度には触れていない）、ここに示されたアイデアの多くはよさそうだ。現代の職場は非常に忙しいため、上司が直属の部下にタイムリーなフィードバックをしたり、部下が上司に適宜報告をしたりする機会がどんどん減っているし、リモートワークやハイブリッドワークの導入によって、この問題は悪化の一途をたどっている。そんななか、AIが部下が望むタイミングでフィードバックや能力開発の機会を与えれば、仕事への満足度がアップするのではないかと、私は期待している。

これをさらに深掘りしてみよう。

ホフマン 社員のパフォーマンスや仕事への満足度について、個人に合わせたリアルタイムのフィードバックにより経営者と社員のあいだに強い絆を築くために、AIにはどのような活用方法があるか？　いくつか具体的にあげてほしい。

∨

GPT-4 AIには以下のような活用方法が考えられます。

──特定のタスクやプロジェクトについて、社員に合わせたアドバイスとサポートを提供する。

──改善すべき点を特定し、社員にパフォーマンス向上のための指導をする。

──社員のパフォーマンスや仕事への満足度について、つねに最新の状況を考慮したフィードバックを与える。

——社員の功績をタイムリーに評価する。

——社員に合わせた研修や能力開発の機会を与える。

——社員の感情を分析し、彼らの会社への忠誠心と仕事への満足度を、経営者に報告する。

この回答を見て私は、現代のマネージャーたちがテクノロジーによるサポートがほとんどないままに、これらをすべてこなすように求められているという事実に驚いてしまった（部下の感情に注意を払うのは当然だとしても）。AIがどのようにこなすようになるのかはわからないが、もしそうなれば、マネージャーにとっては非常にありがたいだろう。

ホフマン 経営者と社員双方にメリットがある目標を実現するために社員にどんな「任務」が必要かを規定する際、AIはどのように役に立つか？ 具体例をあげること。

∨

GPT-4 AIは以下のように活用できる可能性があります。

——社員のスキルや興味に合わせて、具体的な職務内容やタスクを提案する。

——社員をスキルアップさせるために、どんな機会を提供すべきかを考える。

——目標を達成するために、社員に合わせた指導やアドバイスをする。

——社員のパフォーマンスを分析し、重点的に改善すべき分野を見極める。

——社員に合わせてチューンアップした、目標達成・進捗管理ツールを提供する。

——社員１人１人に合わせたフィードバックを与え、その成果を評価する。

私は『スタートアップ的人生（キャリア）戦略』や『ALLIANCE』のなかで、個人がみずからキャリアをコントロールする必要があることを詳しく解説した。ただし、これは正論ではあるものの、困難なのも確かだ。そこでAIに期待されるのは、会社から割り当てられた目に見える仕事と並行して、こうした目に見えない、一段上のタスクをやりくりする社員たちを支援し、積極的で自制心が強い者だけでなく、組織の全員が、みずからのパフォーマンスやキャリアを最適にする手助けをすることだ。

ホフマン 2035年のマネージャーと社員が、AIを使って社員の任務を規定し、生産性を向上させてキャリアを加速させるシナリオを800字程度でまとめてほしい。会社、マネージャー、社員のメリットも説明すること。

∨

GPT-4 2035年、仕事は大きく様変わりをしていた。AIによって自動化が進み、仕事の進め方が変わり、効率と生産性が向上した。

小さなテクノロジー企業のマネージャーであるマークは、成果をあげ、利益を増やす方法を見つける任務を与えられていた。だが、社員のやる気を引き出し、会社に貢献したいと思わせる必要があるのに、その方法を見つけられないでいた。

そんなある日、この問題を同僚と話し合っていたとき、アイデアがひらめく。それぞれの社員の職務を決めるのに、AIを使ったらどうだろう。それに、各社員の具体的な目標やタスクを設定するだけでなく、進捗状況に応じて個別に指導やフィードバックができるかもしれない。

マークはさっそくシステムの構築に取りかかった。AIを使って、各社員のタスクを決め、それぞれに合ったフィードバックを与える。また、同じくAIを活用して社員の気持ちを分析して、その功績をタイムリーに評価した。

すると、すぐにすばらしい効果が現れた。社員のモチベーションが上がり、仕事に対するやる気が出たことで、生産性が急上昇したのだ。また、部下たちはより多くの責任を任され、自分が会社から評価されていると感じたことで、チーム全体の士気が上がったようだった。

だが、最大のメリットは会社側にあった。AIによる業務の自動化と社員への指導によって、マークは非常に効率的で生産性の高いチームをつくることができた。そのおかげで、利益は大幅に増え、会社の評判はまたたく間に広まった。

マークは自分の抱えていた課題への完璧な解決策を見つけたのだ。AIを使って職務にあたることで、やる気に満ちたモチベーションの高い職場をつくり出せただけでなく、会社の生産性を高め、利益を上げることにも成功した。

すばらしい！

では次に、AIに存在を脅かされるとよく言われている職業について、この先に起こりそうなことを詳しく見ていこう。

＞営業
――生産性が上がり雇用が減る可能性も

かつてダニエル・ピンクが書いた、『To Sell Is Human: The Surprising Truth About Moving Others（売ることはすなわち人間――他人の動かし方に関する驚くべき事実）』（邦訳『人を動かす、新たな3原則――売らないセールスで、誰もが成功する！』（講談社刊））という本はニューヨークタイムズのベストセラー第1位になった。このタイトルからも想像できるように、コンピューターが営業をしている姿を思い描くのは難しい。AIが「私はじつは同じ学校の出身なんですよ」

と言ったり、子育てに関する笑い話を披露したりして、顧客と信頼関係を築く？　そんなことがありうるのだろうか？

だがその一方で、GPT-4のようなツールが、人間の営業担当者の大きな力になっている光景は容易に想像できる。優れたセールスパーソンは、まずは時間をかけて見込み客のことを深く理解する。そして、個別のニーズに合わせてプレゼンの方法を変え、それを聞いた顧客が自分の成功している姿を簡単にイメージできるようにする。

では、これをGPT-4はどう考えるのだろうか？

ホフマン　AIツールの導入は、営業の仕事をどう変えるのか？　ターゲット層の洗い出し、見込み客の絞り込み、買い手へのプレゼン、契約のクロージング、顧客の成功支援といった、営業プロセス全体の鍵となる活動について説明してほしい。

∨

GPT-4　AIツールの導入は、営業という仕事をさまざまなかたちで変化させる可能性があります。まず、AIによる自動化によって、営業プロセスの生産性と効率が飛躍的に向上するでしょう。営業担当者はターゲット層のあたりをつけて見込み客を絞り込み、売上につながる可能性の高い順に優先順位をつけやすくなります。また、顧客のニーズや好みに合わせた説得力のあるプレゼンを手早く作成するのにも役立ちます。

加えて、AIを活用したカスタマーインサイト［訳注：企業が顧客を獲得・維持するために、その行動傾向を観察すること］によって、顧客の行動やニーズ、好みを深く把握し、それを販売戦略や作戦に反映して改善したり、セールストークを相手に合わせたり、ターゲット層を絞り込んだりできます。

そして最後に、AIを活用したツールによって営業担当者は、顧客の感情に関する観察結果をタイムリーに入手し、連絡や商談をもちかけるベストなタイミングを見極められるようになり、より迅速かつ効果的に契約を結べるようになります。さらに、顧客のニーズを予測したり、積極的に有効なソリューションを提案したりする際にAIツールを使えば、契約成立後の成功支援にも役立てられます。

これは私自身の経験とも重なる。ターゲット層を分析して見込み客を絞り込み、行動とニーズを把握したうえで、それに合わせたセールストークを考え、感情面もしっかり理解して、契約成立後も積極的に連絡を取る。この一連の活動は、とても手間がかかる。だからこそ、熱心で優秀なセールスパーソンだけがこうした仕事をうまくこなせるのだ。

たとえば、私ができるかぎり契約を取る可能性を高めようと思ったら、リンクトインで買い手のプロフィールを見て分析するだろう。ソーシャルメディアへのプライベートな投稿もチェックして、何が好きで何が嫌いか、何に情熱を燃やしているかを調べる。そして、その人が過去に手がけた、あるいは今後手がけそうなプロジェクトに合わせて、プレゼンの内容を調整する（じつは私が投資しているTomeというAIツールを使えば、すでにすばらしいプレゼンが簡単につくれる!）。また、ニュースをチェックして、その人の会社に今回の契約判断に影響するような出来事が起きていないかも確認する。そして契約後も、その人がわが社の製品をどのように使っているかを見つづけ、より付加価値を高めたり、ほかの問題を解決したりする提案をできるようにする。

ただ言うまでもなく、すべての顧客に対してこれをおこなうのは、とてつもなく時間がかかる。

そのため、数字のみを追求して営業し、焼き畑農業式のやり方をしてしまうセールスパーソンがあまりに多い。とくに、製品が成熟しておらず市場も未開拓のために、シンプルで再現性の高い営業プロセスを取れないスタートアップ企業では、この傾向が顕著だ。

だが、セールスパーソンがついついサボってしまうような手間のかかる仕事の多くをAIにやらせれば、人間はAIにはできない買い手との関係づくりや、営業電話で相手の心情を読み取ることなどに集中できるようになる。つまり、AIを営業に使うことで、両方の長所をもてるかもしれない。

さて、ここまではセールスパーソンにとっていいことばかりだ。では、デメリットはあるのだろうか?

ホフマン AIツールの導入は、人間の営業担当者のキャリアに、どのようなマイナスの影響を与える可能性があるか?

∨

GPT-4 AIツールの導入は、人間の営業担当者のキャリアに、大きなマイナスの影響を直接与える可能性があります。AIによる営業プロセスの自動化によって、人間の営業担当者が、たとえばターゲット層の洗い出し、見込み客の絞り込み、プレゼンの作成、契約のクロージングといった作業をする必要性が低下するかもしれません。これは、こうした作業に必要な人員の削減につながると考えられます。

また、AIを活用したカスタマーインサイトによって、人間の営業担当者が顧客データを分析し、顧客セグメンテーション[訳注:類似した特性や傾向によって顧客を複数のグループに分類すること]戦略を立てる必要性が低下するかもしれません。これは、セールスパーソンが営業戦略を立てるためにみずからの知見や専門性を活用する機会を減らすことにつながると考えられます。

最後に、AIを活用したツールによって、顧客は、人間の営業担当者の助けを借りることなく、自身のニーズを満たすソリューションを簡単に見つけられるようになるかもしれません。セールスパーソンが顧客にサービスを提供する必要性が低下し、顧客とのやりとりが減ることで、売上をアップさせるチャンスも少なくなる可能性があります。

GPT-4はここでは遠回しな言い方はしていない。現在、企業のセールスパーソンの多くは、ビジネス開発担当者（BDR）として仕事を始めている。駆け出しのBDRは、電話やメール、それにリンクトインのメッセージ機能などを使い、社外とやりとりしてお金を稼ぐ。こうした作業は退屈ではあるが、仕事であることは確かだし、そこで結果を出した者が、一人前の営業職への昇進を勝ち取っていくことが多い。

これからアプローチをしようとしている見込み客の個別の情報をAIから受け取れば、BDRは業務をいっそう効率化できるだろう。だが、顧客の資金には限りがあるため、生産性が上がればそのぶん、雇用は減る可能性が高い。また、強引なセールスの電話は誰にとっても時間のむだなので、これは社会全体としては悪いことではないが、営業職の数は減少するのは間違いない。

おそらくこの先、営業という仕事の全体としての規模は縮小していくのではないかと私は思っている。だが同時に、各セールスパーソンの生産性は上がり、それに応じて収入もアップするだろう。そして、AIによって営業品質が向上するということは、AIツール導入に積極的な企業がそうでない企業を打ち負かすことを意味している。

＞法曹界
――AIが退屈な作業から弁護士を解放する

私は、AIが弁護士の仕事にどのような影響を与えるのかに関心をもっているが、これには個人的な理由がある。両親がどちらも弁護士なので、子どものころからこの仕事にじかに触れてきたのだ。だから、AIが弁護士をどう変えていくのかにはとても興味がある。

ホフマン 法律業務のうち、AIのほうが人間の弁護士より向いているものがあるとしたら、それは何か？ AIを使って最も簡単に自動化できそうな、あるいはAIが人間の弁護士よりもうまくできそうな法律業務は？

GPT-4 AIは、大量のデータや情報を迅速かつ正確に分析・整理する業務に向いています。AIは大量のデータセットをすばやく検索し、そこからパターンや傾向を検出したり、結論を導き出したりできます。さらに、文書や契約内容の審査のような、人間の弁護士にとっては退屈で時間のかかる単純な法律業務の自動化も可能です。また、ある程度の事実と証拠さえあれば、訴訟結果も予測できるかもしれません。AIは、特許の検索や財務分析といった、正確さや専門的な分析が必要とされる作業にも適しています。

特許の検索や、開示されている証拠データの確認、長くて退屈な契約書のなかから問題になりそうな部分を見つけ出すといった業務では、AIが人間の職員やパラリーガルと同等かあるいはそれ以上の働きを見せる様子が目に浮かぶ。また、費用の高い外部の専門家を呼ぶ前に、まずはAIを使ってみるというのが当たり前になるのかもしれないし、弁護士がそうした専門家をより効率的に活用するうえでも役に立つのかもしれない。

では、ポジティブな例を見てみよう。

ホフマン 法律業務にAIを導入すると、現役の弁護士の今後のキャリアにどのようなよい影響があるだろうか？ 弁護士たちが仕事にAIを使ってキャリアアップをしていくにあたって、どのようなステップが考えられるか？

GPT-4 AIを法律業務に導入すると、弁護士の仕事の機会が増える可能性があります。AIが定型業務を自動化することで、弁護士はより複雑で難しい法律業務に集中できるようになるからです。また、大量のデータや情報をすばやく検索するAIの能力を活用すれば、弁護士は法律への理解を深められるかもしれません。さらに、特定の案件についての法的意味をより深く読み取り、クリエイティブな解決策を考える際にもAIは使えると思います。弁護士たちは、AI技術の進歩や、その法律業務への応用をつねに学びつづけることで、時代の先端を走ることができるでしょう。

実際の法律業務というものは、テレビや映画などで描かれるよりもはるかに退屈でつまらないこまごましたものであることを、私は個人的な経験から知っている。陪審員の前で雄弁に弁護を繰り広げるような機会はめったになく、その代わりにわかりにくい文章を何千ページも読まなければならないことが多い。そしておそらくAIは、前者はひどく苦手だが、後者はとても得意だろう。

確かにAIによって、単純な法律業務のやり方はいまとは違ったものになる可能性がある。ただその一方で、低くなりがちなこの業種の幸福度を上げることができるかもしれない。いくら給料がよくても、同じような契約書を何千部も読んで楽しいと思える人がいるとは思えないからだ。

＞経営コンサルティング
――高付加価値を提供できないコンサルは苦境に

テック業界は経営コンサルティングの効果に対してきわめて懐疑的なことで知られている。それでも私は、マッキンゼーをはじめとするコンサルティングファームの優秀で誠実な多くのプロフェッショナルたちと仕事をともにしてきた経験から、経営コンサルタントはビジネスで重要な役割を果たせると信じている（とはいえ、従業員100人以下のスタートアップ企業では、なかなかそうとも言えないが）。

コンサルタントのおもな任務は、大量のデータから結論を導き出し、ベストプラクティスをベンチマークして共有し、新しいビジネスユニットを立ち上げて成長させるためのプランをつくることだ。ただ、そうした作業の多くはAI向きのように思える。

ここで、その直感が正しいのか試してみよう。

ホフマン　経営コンサルティングの重要な機能を果たすために、AIを活用する方法としては、どのようなものがあるか？

∨

GPT-4

――AIは、データセットを分析して取るべき戦略や戦術を提案し、改善やコスト削減の余地がある箇所を特定するのに役立つ可能性があります。

――AIは、市場動向や顧客の行動など経済情勢に関する予測や分析に役立つ可能性があります。

――AIは、クライアントからのフィードバックや従業員を対象にした調査から知見を引き出し、よりターゲットを絞った、効果的な経営コンサルティングをするのに役立つ可能性があります。

――AIは、競合他社や業界の動向についてデータを収集・分析して、改善と成長が見込める分野を特定するのに役立つ可能性があります。

――AIは、戦略の立案や実行のプロセスを自動化・高速化し、より効率的で効果的な経営コンサルティングをするのに役立つ可能性があります。

これらの答えのなかで、GPT-4はデータを分析し、結論を導き出すことを重要視しているようだが、これはいかにも筋が通っているように思える。それこそまさに、ベイン・アンド・カンパニーやボストン・コンサルティング・

グループなどのコンサル各社が進めている仕事だからだ。だが、AIがこれほど多くの分析を担うとなると、人間のコンサルタントはどうなるのだろうか？

ホフマン 経営コンサルティング業界へのAI導入は、現役コンサルタントの今後のキャリアにどのような悪影響を及ぼす可能性があるか？　若手のアナリストやアソシエイト、中堅のエンゲージメントマネージャー、そしてマッキンゼーのパートナーなどのハイレベルなエグゼクティブがどのような影響を受けるか、例をあげて説明してほしい。

∨

GPT-4 経営コンサルティング業界へのAI導入は、現役コンサルタントの今後のキャリアに悪影響を及ぼす可能性があります。一番大きな影響を受けるのは、若手のアナリストやアソシエイトかもしれません。リサーチ、データ分析、レポート作成など、彼らが担当する多くの業務をAIが自動化できるからです。AIのシステムがより洗練されていけば、これらの業務を人間がやる必要はなくなり、結果として若手の仕事の機会が減る可能性があります。

中堅のエンゲージメントマネージャーも、AI導入の影響を受けるかもしれません。AIが戦略の立案と実行のプロセスを自動化することで、エンゲージメントマネージャーが果たしているこうした職務の重要性が低下する可能性があるからです。また、AIシステムの能力が向上すれば、クライアントの業務を観察して、アドバイスを提供するという仕事も、AIに取って代わられるかもしれません。

さらに、マッキンゼーのパートナーなどのハイレベルなエグゼクティブでさえ、AI導入の影響を受ける可能性があります。AIがビジネス上の意思決定や戦略の実行を自動化することで、パートナーの果たしている職務が必須とは言えなくなるかもしれません。加えて、AIシステムがクライアントの業務を観察してアドバイスを生成することで、パートナーがみずから、専門家としての知識を提供する必要性が低下することもありえます。

こうした回答は理にかなっているように思える。アナリストやアソシエイトが担当している、ウェブ検索やパワーポイントのスライド作成といった「力仕事」の多くはGPT-4やTomeといったツールでもできるようになるかもしれない。さらに、クライアント側としても、せっかくコンサルティングファームを雇ってもお決まりの解決策しか出てこないのであれば、AIによるデータ分析に切り替えて、本当の意味で広い視点からレビューをさせるほうがいいという結論が出てもおかしくはない。

マニュアルどおりのやり方を超える付加価値を提供できない経営コンサルタントは、今後、苦境に立たされることになるだろう。コンサルティングファームは、若いアナリストやアソシエイトに「エンジンを回させて」、彼らに払う給料の10倍もの報酬をクライアントに請求することはできなくなる。一方で、AIの導入によって浮いた時間を、斬新な知見を生み出すことに使える経営コンサルタントは、AIを味方につけて、より価値の高い作業に打ち込むことで、クライアントにこれまで以上のサービスを提供できる。

ただ、もしコンサルティングファームが、基本的な業務のために大学やビジネススクールを卒業した優秀な若者たちをあまり雇わなくなったら、次世代のパートナー候補者たちはどうやってそのような技術を学べばいいのか、という問題が出てくるかもしれない。では、AIがこの問題を解決できるかどうか見てみよう。

ホフマン　将来的にコンサルティングファームでは、リサーチや分析をAIが担うようになり、駆け出しのアナリストやアソシエイトがこうしたスキルを実地で学ぶ機会がなくなったとする。こうした状況で若手を訓練し、スキルアップさせるにあたって、ファームはAIをどのように活用できるか?

∨

GPT-4 将来的にコンサルティングファームは、駆け出しのアナリストやアソシエイトをスキルアップさせるためにAIを活用できるかもしれません。AIシステムによって現実のシナリオをシミュレートし、若いコンサルタントにバーチャルでコーチングすることで、スキルを磨き、経験を積ませる手助けができるでしょう。さらに、AIシステムによって個々のコンサルタントに合わせた研修プランを提供することで、最も成長が必要な分野に集中できるようにすることも可能です。

また、ファームはAIを活用して、駆け出しのアナリストやアソシエイトを対象にしたバーチャルなメンターシッププログラムを実施することもできるでしょう。AIは、個人に合わせたアドバイスや指導をすることで、それぞれのポジションで成功するためのスキルと知識を身につける助けになるかもしれません。さらに、経験豊富なコンサルタントと駆け出しのアナリストやアソシエイトとのあいだの知識や見識の交換を促進し、若手がベテランから多くのことを学べるような状況をつくるのにも利用できるでしょう。

AIによるシミュレーションを活用して、未来の専門家を育成するというコンセプトはいいと思う。現状、若いプロフェッショナルの多くは、学びの機会が少ないことや、メンターがいないことに不満を感じている。多少の改良は必要かもしれないが、AIはこうしたありがちな問題の解決に役立つかもしれない。

さて、本章もそろそろ終わりというところまできて、私もAIを使って執筆の手間を省く方法を思いついた。そう、GPT-4の力を借りて、結論を出してもらおう。

ホフマン ここまでの内容を踏まえて、400字程度でこの話を締めくくってほしい。

∨

GPT-4 ここまでの話に共通して言えるのは、一部の職業はAIの影響を他業種よりも大きく受けてしまいますが、同時によい変化がもたらされる可能性も計り知れないほど大きいことです。たとえば営業職のように、AIによって全体としての数は減るものの、残ったプロフェッショナルたちがいまよりも生産的かつ効率的になるというケースもありうるでしょう。あるいは法曹界のように、AIがその職業の幸福度や満足度を全体的に向上させるケースもあるかもしれません。

AIが従来のキャリアパスを揺るがす可能性に注意しておくことは重要ですが、成長や進歩のための新たな機会を生み出すことも忘れてはなりません。AIツールが普段の業務プロセスの核となる新しい時代を迎えるにあたって、生産性を高め、有意義な仕事をするために、AIがもたらすチャンスを活用することは、各分野のプロフェッショナルにとって必須となるでしょう。

第7章

仕事で駆使する

GPT-4 In My Own Work

私は、GPT-4をはじめとするAIテクノロジーが世の中の仕事を変えるのを期待していると同時に、私自身の働き方をも変えてくれると確信している。また、ここまで数カ月間GPT-4を使ってきたなかで、自分がまだ学習曲線のきついカーブの途中にいるのは自覚しているものの、それでもこのツールの使い方をいくつかアドバイスできるぐらいの経験は積んでいるはずだ。

革新的なテクノロジーが登場すると、多くの人がそれを既存の技術や手法の代替手段として取り入れようとしがちだ。このやり方は、新しいテクノロジーを使い出すまでの時間や労力を最小限に抑えられるため、一見理にかなっていると思えるが、じつは落とし穴がある。新たなテクノロジーがそれ以前にあった技術の厳密な意味での類似品であることは、まずないからだ。

インターネットが登場したばかりのころ、たとえばYahoo! など当時の代表的なサービスは、まるでオンライン版の電話帳のようなものだった。私たちはそれまで電話帳のような「目録方式」で何かを探してきたため、オンラインでもそのかたちが、一見合理的だったのだ。だが時が経つにつれ、もっとよいアプローチが見つかる。それは検索エンジンという新たなツールをつくることだった。

大規模言語モデル（LLM）に関して私たちはまだ、この電話帳の段階にある。LLMが、多彩な用途に使われる検索エンジンに、ほとんどそのまま取って代わることはなさそうだが、有用な情報を集めるための新しい方法となるのは間違いないだろう。

では、私がGPT-4を自分の仕事に使おうとするなかで発見した、3つの便利な基本原則を紹介しよう。

原則1 GPT-4を全知全能の神ではなく、大学生の研究助手のように扱う。

あなたが大学生の研究助手と一緒に仕事をしたことがあるなら（あるいはあなた自身が学生時代に助手をしたことがあるなら）、彼らは有能だが、その能力にはある種の限界があるのをご存じだろう。

ちなみにGPT-4は、すでにいくつかの点で人間の助手をはるかにしのいでいる。驚くほど広範な知識にアクセスできるうえに、そのスピードはかなり速く、中間試験の勉強があるから手伝えませんと言ってくる学生とは違って必要なときにいつでも助けてくれる。

だがその一方で、特定分野の専門家とは言えず、テーマに対する理解が浅いうえに、ときおり間違った解釈をしてしまうなど、人間の助手と同様の欠点も数多く抱えている。実際、GPT-4がミスをするときは、人間の助手よりもひどい間違え方をする。人には、自分の成果物に自信がもてないとき、正直にそう告白するという分別が普通はあるからだ。

とはいえ、こうした欠点を差し引いても、誰もが、望んだときにほとんど瞬時に調査の手助けをしてもらえるのは、本当にすごいことだ。ただ、出力された結果については、よりしっかりとしたソースと照らし合わせて、人間の専門家にも内容を確認するのを忘れないようにしよう。

原則2 自分の役割は大工ではなく、映画監督だと考える。

私たちは仕事の道具を自分の身体の延長だと考える癖がついている。たとえば、大工はハンマーを振って家を仕上げていくとき、何が起きるかを把握したうえで振っているし、その理解に沿って仕事を進めている。

だが、GPT-4のようなツールにこの図式は当てはまらない。GPT-4を使うのは、物理的な道具を操って予測可能な計画済みの結果を出すというよりも、映画のワンシーンを演出するのに近い。

そこではあなたは監督として、俳優から最高のパフォーマンスを引き出そうとする。そのとき、俳優に対して「首を15度傾けて、2.5秒後に目の前の人を見て」とは指示しないだろう。代わりに、観客にある種の感情を抱かせるような演技を求めるはずだ。たとえば「君は恋をしている。見ている人にそう思わせてくれ」と。

もちろんGPT-4は人間の俳優ではないが、指示の仕方には近いものがある。望む結果を得るために、監督が同じシーンを何度も撮影するのと同じように、特定のプロンプトを少しずつ調節しながら何度も試す必要があるかもしれない。つまるところ、これは共同作業なのだ。

原則3 とにかくやってみる！

私たちはこれまで何をするときにも、事前に計画を立てて失敗を避けるようにと教わってきた。大工の世界に「2回測って、1回で切れ」という格言があるように、計画を実行するには時間などさまざまなリソースがかかるからだ。

だがもし、計画を立てるよりも実行するほうが安くて手っ取り早いとしたら、どうだろうか？

これこそがGPT-4をはじめとするLLMがつくり出す、人を当惑させるパラドックスなのだ。計画について話し合うよりもはるかに短い時間で、GPT-4は答えを完成させ、あとはレビューをすればいいというところまでもっていける。答えが気に入らなければ、それを破棄して別の案を出力させることもできるし、3つほどバリエーションをつくらせて選択肢を増やすこともできる。

私の場合、仕事の重要な部分に差しかかったら、とりあえず簡単なプロンプトをいくつか試してみるという習慣がすでについている。

そう、たとえばこの章を書き始めるようなときに。

ホフマン 投資家で、作家で、慈善活動家でもあるリード・ホフマンが、より速く、効率的かつ効果的に仕事をするために、LLMをどのように活用できるか?

∨

GPT-4

——調査の自動化。LLMは、関連する情報を迅速かつ正確に検索し、特定する際に使えます。ホフマンはこのテクノロジーを活用して、投資や慈善活動に役立つ研究やデータを、すばやく探し出せるでしょう。

——コンテンツ作成の自動化。LLMは、記事やレポートといったコンテンツの作成に使えます。ホフマンは調査や執筆にかかる時間や手間を減らせるでしょう。

——分析の自動化。LLMは、大量のデータを迅速かつ正確に分析するのに使えます。ホフマンはよりよい意思決定をすばやくおこなえるでしょう。

——コミュニケーションの自動化。LLMは、メールへの返信やミーティングの日程調整といったコミュニケーションを自動化するのに使えます。ホフマンはより重要な作業に時間を充てられるでしょう。

——投資判断の自動化。LLMは、複雑なデータやアルゴリズムにもとづ

> いて投資を決断するのに使えます。ホフマンはより多くの情報にもとづいた判断を、迅速に下せるでしょう。

どうやらGPT-4はいつものように、あり合わせではあるが、考えるための材料を与えてくれたようだ。

GPT-4は2021年付近のインターネット上の情報を文字どおりほぼ把握しているため、調査と分析に向いている。現時点でも人間よりもはるかに広範な知識をもっているし、将来的にはその知識の幅はさらに広がるはずだ。

コンテンツ作成の自動化については、即席で草稿をつくる方法としてはおもしろいが、人の手を加えずに重要な文章を作成できるとは、私は思わない（少なくとも自分の仕事に関しては）。やはり、GPT-4が出力した記事やレポートは自分の目で確認したいところだ。それでも、全体としての生産効率は大きく上がるだろう。

コミュニケーションの自動化など、残りの提案についてはさらに怪しい。私にメールを送ってくる人は、こちらになんらかの決断や提案を求めているわけだが、そうした役割をAIに任せるのはまだ早いと思う。

投資判断の自動化については、AIは思考を深め、あらゆるデータを検討するのに役立つので、より多くの情報にもとづいた投資判断を迅速に下すうえで有用かもしれない。ただ、このプロセスを「投資判断の自動化」と呼ぶのは無理があるだろう。

とはいえ、こうした多少の不満はあるにせよ、GPT-4が私の仕事内容を合理的に分類し、さらなる掘り下げが可能な箇所を示すことで、この章の執筆を手助けしてくれたのは事実だ。さて、仕事の変化については前章で論じたので、ここでは私の作家、クリエイター、慈善活動家としての事業にスポットを当てよう。

AIはこうしたビジネス以外の事業をどのように変えるのだろうか？

＞代理執筆はかなりのレベルに

私のキャリアをよく知っている人は、当初から起業家を目指していたわけではないことをご存じだろう。スタンフォード大学を卒業した当時は教授になるつもりだった。社会によいインパクトを与えたいと考え、それにはアカデミックなキャリアを追求して思考を深め、著作を通じて人々を啓発するのが一番だと思ったのだ。

だが、大学院に進学してせいぜい数カ月で、学者として成功するには高度に専門的なテーマに集中する必要があり、そこで何を書いてもせいぜい数十人の学者仲間に読まれるだけで、世の中の実務にはほとんど影響を与えられないことがわかった。そのため私は、ビジネスの世界に照準を合わせることに決めた。

とはいえ、問題を深く考え、人々に影響を与えたいという思いは揺らがなかった。その後、何の運命のめぐり合わせか、ビジネスが成功し、私は当初の目標を少し違ったかたちで追求する環境を手に入れた。リンクトイン、メタ（旧フェイスブック）、ミディアムといったソーシャルメディア企業のおかげで、インターネットは世界の「街角」に――ただし数十億人もの人々に声が届く街角に――なっていた。そして、起業家や投資家として成功して信用を得た私は、記事や本、ポッドキャストを通じて自分の考えを聞いてくれる視聴者を獲得できたのだ。

ではGPT-4を使って、リード・ホフマンの文章（実際に私がその価値を認められるような文章）をつくれるか試してみよう。

ホフマン　リード・ホフマンの文体で、1200字程度のエッセイを書いてほしい。内容は、特定の企業や起業家による具体例をもとに、ブリッツスケーリング（効率よりもスピードを優先して、「勝者総取り」の市場を取りにいく戦略）の核となる考え方が、サハラ砂漠以南のアフリカ（サブサハラアフリカ）ではほかの地域とどのように異なるのか、そして、同地域でブリッツスケーリングを成功させるために起業家は何を知っておくべきかを説明するものにすること。

GPT-4 （編集済み）ブリッツスケーリングというコンセプトは、世界中の多くのスタートアップや企業が採用する、比較的新しいビジネス戦略であり、勝者総取り市場の獲得競争で優位に立つためには、効率よりもスピードを優先させるべきであるという考えにもとづくものだ。この戦略はさまざまな状況で効果を発揮する可能性があり、なかでもビジネス環境が急速に変化しているサブサハラアフリカでは、とくに有効だろう。同地域で活動する起業家は、ブリッツスケーリング特有の課題とポテンシャルを把握したうえで、個々の市場に合わせてこの戦略を実行する方法を理解する必要がある。

サブサハラアフリカで活動する起業家にとって、ブリッツスケーリングの大きなメリットの1つは、急速に変化する市場のなかで、すばやく足場を固められることだ。この地域は経済が非常に不安定で、通常は企業が短期間で地位を確立するのは難しい。しかし、ブリッツスケーリングというやり方を採用すれば、マーケットシェアを一気に拡大し、動きの遅い競合他社に対して優位に立てる。この地域で活動する起業家は、ブリッツスケーリングを成功させるにあたって、計算されたリスクを取ることをいとわず、迅速に行動する必要がある。

たとえばケニアのスタートアップ企業であるM-Kopa Solarは、ブリッツスケーリングをうまく活用して、ソーラーエネルギー業界を牽引するリーダーに成長した。同社は、この新しいテクノロジーの可能性をいち早く察知し、さらにモバイル決済プラットフォームを活用して事業を一気に拡大して、マーケットで大きなシェアを獲得したのだ。また、新しい決済オプションやサービスを導入することで、変化する顧客のニーズにもすばやく対応した。

このようにブリッツスケーリングにはメリットがある一方、サブサハラアフリカの起業家にリスクをもたらす場合もある。たとえば、この地域は非常に競争が激しいので、長期にわたってシェアを維持するのが難しくなりがちだ。さらに、ブリッツスケーリングによって、顧客を軽視する風潮が強まり、結果としてカスタマー・ロイヤルティが低下して、長期的に顧客をつかまえておくことが困難になる可能性もある。そのため、起業家はこうしたリスクに十分注意して、対処法をあらかじめ用意しておく必要がある。

サブサハラアフリカでブリッツスケーリングを成功させるために、起業家は計算されたリスクを取ることをいとわず、迅速に行動しなければならない。それには、まずこの地域のマーケットや競合状況を深く理解することだ。さらにライバルに差をつけるために、最新のテクノロジーやプラットフォームへも積極的に投資したほうがいい。最後に、変化する市場動向や顧客の要求に対応するため、戦略を臨機応変に切り替える準備も必要になる。

この回答にはブリッツスケーリングの定義が考慮されているし、なにより私がこれまで知らなかったM-Kopaという企業の話が入っているという点で付加価値がある。ただ一方で、最新テクノロジーやプラットフォームへの投資、あるいは変化する市場トレンドへの迅速な対応など、ブリッツスケーリングとは関係のない一般的なアドバイスもくり返し述べられている。

では、GPT-4のリサーチアシスタントとしての価値を掘り下げてみよう。

ホフマン　サブサハラアフリカで活動する企業や起業家が実際に取った行動のなかから、効率よりもスピードを優先して、貴重な勝者総取り市場を取りにいくというブリッツスケーリングの核となるアイデアを適用した例を5つ以上あげてほしい。[6]

▽

GPT-4

――ケニアのスタートアップ企業であるM-Kopa Solarは、ブリッツスケーリングを使って、ソーラーエネルギー業界のリーダーに成長しました。同社は、この新しいテクノロジーの可能性をいち早く察知し、さらにモバイル決済プラットフォームを活用して、事業を一気に拡大し、マーケットで大きなシェアを獲得できたのです。

――南アフリカのNaspersという企業は、ブリッツスケーリングによってハイテク大手に成長しました。同社はハイテク分野のトレンドをいち早く把握し、成功する可能性の高い企業に出資できたのです。

――ナイジェリアのEコマースプラットフォームであるJumiaは、ブリッツスケーリングを活用してオンライン小売市場で大きなシェアを獲得しました。同社は顧客ニーズの変化にすばやく対応することで、ビジネスを拡大し、競合他社に対して優位に立てたのです。

――ガーナのスタートアップ企業であるHubtelは、ブリッツスケーリングによってモバイル決済業界のリーダーに成長しました。同社はモバイル決済プラットフォームの可能性をいち早く察知し、テクノロジーに多額の投資をおこなうことで、マーケットで大きなシェアを獲得できたのです。

――ケニアのヘルスケア企業であるE-Health Africaは、ブリッツスケーリングによって医療分野の大手に成長しました。同社は新しいテクノロジーをすばやく取り入れ、既存のインフラを活用することで、サービスの規模を拡大し、競合他社に対して優位に立てたのです。

6_ 私のGPT-4に対する指示が、人間のアシスタントに対してはまずしないぐらい細かいものになっていることに注目してほしい。理由はもちろん、見当違いの回答を減らすためで、実際にこのやり方はうまくいくことが多い。

NaspersやJumiaのことは知っていたが、M-Kopa、Hubtel、E-Health Africa（実際はeHealth Africaが正しいのではないかと思うが）という企業については初耳だった。

ホフマン　ケニアのスタートアップ企業であるM-Kopaが、効率よりもスピードを優先して貴重な勝者総取り市場を取りにいくというブリッツスケーリングの核となるアイデアを、いかにうまくビジネスに応用したか、具体例をまじえたエッセイを800字程度で書いてほしい。

∨

GPT-4　ケニアのスタートアップ企業であるM-Kopaは、貴重な勝者総取り市場を取りにいくにあたって、ブリッツスケーリングの核となるアイデアをビジネスにうまく応用しました。ソーラーエネルギーの可能性をいち早く察知し、モバイル決済プラットフォームを活用して、事業を一気に拡大し、大きなシェアを獲得したのです。

さらに、革新的な支払いプランやサービスを導入し、この地域の急速に変化するマーケットの力学をうまく利用しました。一例は、顧客が太陽光発電の料金を分割払いできるようにした「ペイ・アズ・ユー・ゴー」システムです。この新しいシステムによって、顧客は手頃な価格でソーラーエネルギーを利用できるようになり、同社はビジネスの規模を急速に拡大しました。

また、M-Kopaは、新しい支払い方法やサービスを導入することで、変化する顧客ニーズにすばやく対応しました。モバイルマネー・プラットフォームなどの既存のインフラを活用して、顧客が携帯電話を使って料金を支払えるようにしたのです。携帯電話による手軽な決済を好む顧客が多かったため、同社はマーケットで大きなシェアを獲得できました。

さらに、M-Kopaは、最新テクノロジーを活用できたことから、競合他社に対して優位に立てました。顧客のニーズを予測し、サービスの質を向上させるうえで、いち早く人工知能を取り入れたのがその例です。こうしてニーズを予測したことで、M-Kopaは競合他社よりも先にマーケットでチャンスを獲得できたのです。

要するに、M-Kopaは貴重な勝者総取り市場を手に入れるために、ブリッツスケーリングの核となるアイデアをうまく応用できたと言えるでしょう。同社は、ソーラーエネルギーの可能性をいち早く察知し、さらにモバイル決済プラットフォームを活用することで、事業を一気に拡大しました。加えて、変化する顧客のニーズにすばやく対応し、最新テクノロジーを使って、競合他社に対して優位に立てました。

詳細な情報が満載の、いままでで最も役に立つ回答だ。だが、やはりファクトチェックは必要である。たとえば、ざっとネットで検索してみても、M-KopaがカスタマーサービスのためにAIを使っているという記事は出てこなかった。

ご存じの方もいるかもしれないが、私は「マスター・オブ・スケール（事業拡大の達人たち）」というポッドキャストのホストを務めていて、そこでは、スタートアップ企業がグローバルなブランドに成長するための戦略や、あるいはすでにトップにある企業が業界のリーダーでありつづけるための成長マインドセットなどについて議論をしている。

では、私とこのポッドキャストのプロデューサーが、旅行検索サイトKayakの共同創業者であるポール・イングリッシュをゲストとして迎えるにあたり（これは本当のことだ）、その準備にGPT-4がどのように役に立つかを見てみよう。

ホフマン　ポッドキャスト「マスター・オブ・スケール」のホストであるリード・ホフマンが、ゲストである旅行検索サイトKayakの共同創業者、ポール・

イングリッシュに尋ねる質問リストをつくってほしい。その際、人材採用の重要性にスポットライトを当て、ポールがこれまでの経験から学んだ教訓を引き出すような問いを含めること。

∨

GPT-4

――Kayakの共同創業者として、人材採用について学んだ最も重要な教訓はなんですか?

――Kayakを成長させていくなかで、どのようにして人材採用を重視する姿勢を貫いたのでしょうか?

――どのような戦略を使って、優秀な人材を呼び寄せましたか?

――自社にマッチした人材を採用するために、最も大切な要素は何だと思いますか?

――強いチームをつくるにあたって、ほかの起業家たちの参考になるようなコツがあれば教えてください。

――どのようにして、Kayakの健全な社風を築きましたか?

――どのような方法で、適材適所の採用を実現しましたか?

――人材採用活動は時代とともにどのように変化してきたと思いますか?

――Kayakがスタートアップ企業だったときと、業界での立場を確立したあとでは、採用方法はどのような点で変わりましたか?

――起業家に向けて、採用コストを抑えるためのアドバイスをお願いします。

いい質問リストだ! 一部、ありきたりな問いもあるが、それは問題ない。ここでの目的は、ポールに語り手やレクチャー役として目立ってもらうことなのだから。

あるいはGPT-4を使って、別のやり方でこの目的を達成できるかもしれない。

ホフマン 旅行検索サイトKayakの共同創業者ポール・イングリッシュ本人や、彼の実業家としての仕事に関する有名なエピソードかおもしろい話を、少なくとも3つまとめること。

∨

GPT-4

——ポール・イングリッシュは、2004年にKayakを共同で創業し、それからの6年間で世界第2位の旅行サイトにまで成長させました。彼がオープンソースのテクノロジーを使ったり、給料よりも自社株をおもな報酬にしてエンジニアを雇ったりすることで、同社のコストを低く抑えたことはよく知られています。

——イングリッシュは、カスタマーエクスペリエンスをとても重視しており、みずから顧客のメールに回答することは有名です。また、社内にインキュベーター［訳注：新しい事業の創出をサポートする組織］を設置したり、知人からの紹介に重点を置いたりといった、型破りな採用活動でも知られています。

——イングリッシュはシリアルアントレプレナー（連続起業家）であり、Kayakの前にも、ブログプラットフォームのTripAdvisorを含む複数の会社を共同創業しています。また、慈善活動に熱心なことでも有名で、さまざまな活動に数百万ドルを寄付しています。

いいエピソードがいくつか出てきたし、ポールがみずから顧客対応をするという有名な話もちゃんと入っている。だが、何度も述べているように、GPT-4の言うことについては、しっかりファクトチェックをしなければならない。ポールはTripAdvisorを創業していない（それにブログプラットフォームでもない）し、GPT-4の言う社内インキュベーターとは、実際はKayakがPricelineに買収されたあとにポールが設立した独立のインキュベーター、Bladeのことではないかと思う。

とはいえ、こうした問題があったとしても、LLMはポッドキャストの準備をスピードアップしてくれるし、そのおかげで全体的な生産性が高まると私は思っている。

＞慈善活動をAIはどう変えるのか

私はいわゆる「スパイダーマンの倫理」の根幹である「大いなる力には、大いなる責任が伴う」という原則を信じている。そのため、ビジネスでの成功によって力とリソースを手にしたいま、自分のスキルや経験と合わせて、世の中にポジティブな影響を与えることに大きな責任を感じている。

テック系のスタートアップでもそうだったように、私は慈善活動をするときもネットワーク的なアプローチを取る。目標は小切手を書くことでも、大理石の建物に自分の名前を彫り込むことでもなく、世界をよりよい方向へと変える人たちをつなげ、そのネットワークを広げていくことだ。

AIは個々の人間の努力だけでなく、ネットワークがもつインパクトも増幅させ、自分がサポートする組織の成長を加速させる。私はそう信じている。では、AIが慈善活動をどのように変えていくのか、いくつか例をあげて見てみよう。

＞起業家コミュニティ「Endeavor」の場合

Endeavorの目的は、世界中の新興市場や未開拓市場に、活気ある起業エコシステムを打ち立てることだ。大きな影響力をもつ起業家たちの、起業家たちによる、起業家のための驚くべきネットワークであり、私はリンダ・ロッテンバーグから、Endeavorの共同投資ファンドEndeavor Catalystの理事兼会長を務めるよう頼まれたことを誇りに思う。われわれはこれまで、世界中の何千という起業家たちに影響を与えてきた。

ホフマン 起業家コミュニティであるEndeavor Globalとその投資先企業は、世界中の新興市場や未開拓市場に活気ある起業エコシステムを迅速かつ効果的に設立するにあたって、LLMをどのように活用できるか?

∨

GPT-4

――起業エコシステムを活性化する新しいアイデアや戦略を提案させる。LLMは、地域のエコシステムの成長を加速させる新しいチャンスやモデル、戦略の特定に活用できます。AIは、潜在的なパートナーシップ、資金源、新たな政策決定など起業家を支援するリソースを開拓するのに役立ちます。

――革新的な新商品やサービスを提案させる。LLMは、Endeavor Globalと投資先企業が、新興市場や未開拓市場の起業家たちのニーズに合わせた新商品やサービスを考案・発売するのに役立ちます。AIは、そうしたマーケットのデータを分析して、市場の隙間を見極め、それを埋める新商品やサービスを提案できます。

――データ分析とレポートを自動化する。LLMは地域の起業エコシステムからデータを収集・分析するプロセスを自動化するのに役立ちます。Endeavor Globalとその投資先企業は、マーケットの健全性をすばやく評価し、トレンドを見極められるようになり、情報にもとづいた意思決定や戦略策定が可能になります。

——業務プロセスのムダを無くす。LLMはカスタマーオンボーディング［訳注：新規顧客が商品やサービスをうまく使えるようになるまでサポートすること］、カスタマーサービス、あるいはその他の管理タスクなど業務プロセスのムダを減らすために活用できます。Endeavor Globalとその投資先企業は、コストを削減し、業務効率を高められるようになります。

どうやらGPT-4の提案は大きく2種類に分けられるようだ。まず1つは、AIがマーケットのデータを収集したり、アイデアを考えたりするときに役に立つということ。AIはすばやい提案によって人間の創造力を刺激し、ほかのやり方では見逃してしまうかもしれない可能性を指摘することで、より包括的に考えられるようにしてくれる。もう1つは、AIが定型業務の自動化や効率化を支援し、人間がよりクリエイティブな仕事に集中できることだ。

そしてEndeavorにとっては、後者の用途が近い将来、最も重要になりそうだ。Endeavorでは投資先企業の支援に力を入れているが、スタッフはAIを使って、英語で書かれたスタートアップ企業のコンテンツを、起業家の母国語に翻訳できるだろう（ただしその際、英語と母国語に精通した人間が、正しく翻訳できているかをチェックする必要はある）。

また、新しいスタートアップ企業をEndeavorのネットワーク内にある他社と結びつけることも大切な支援の1つだ。その際にAIは、候補となるスタートアップ企業と、そのパートナーとしてマッチしそうなネットワーク内の会社の組み合わせを即座に提案できる。仮に、ごく一部しかうまくいきそうになくても、この提案には十分に価値があるし、これはGoogleにはできない芸当だ。

こうした事業では、おもな舵取りはこれまでどおり人間がおこなうが、AIは副操縦士として活躍できるだろう。いずれ、事業をする際にAIの力を借りることが当たり前になり、あえて公言するようなことではなくなるはずだ。

ちなみに、GPT-4の意見では触れられていなかったが、起業家がAIを大いに活用できる分野がもう1つある。それはストーリーテリングだ。

すべての起業家は、自分の創業したスタートアップ企業がよい未来をつくるという魅力的なストーリーを語る必要がある。この未来像が、これから投資家や従業員、買い手や提携先になってくれる人々の目に、リアルで現実的なものに見えれば見えるほど、その企業は成功に必要な資本や人、顧客やパートナーを手に入れられる可能性が高くなる。

これまで起業家は、作家やアーティストとしての能力に乏しいことが多かったが、GPT-4や、私がパートナーを務めるGreylockが投資しているTomeといったツールを使えば、AIがアイデアを文章やイラストにするのを助けてくれるため、妙案をかたちにするのが容易になる。プレゼンの質を高めるためには、まだ人間のライターやデザイナーが必要かもしれないが、それでもAIによって、こうした作業の着手がはるかに手軽でスピーディーになる。

＞就職支援の非営利団体「Opportunity@Work」の場合

「誰もができる最良の経済的投資は、大学を卒業することである」というのは、経済学者のほぼ全員が同意する事実だ。ただ残念ながら、大卒資格をプラスに評価するだけでなく、大卒でないというだけで優れた人材がさまざまな職種で、そもそも選考対象から除外されてしまうことが、あまりに多い。

これは求職者にとって不公平であるだけでなく、スキルのある人材を逃してしまうという点で雇用側にとっても有害であり、ひいては私たちの経済や社会全体にもマイナスとなる。大学に通い、学費を払い、卒業するという機会は、誰にでも公平に与えられているわけではない。地理的理由や、貧困、家庭の事情、仕事との兼ね合いなどの要因によって、意欲も能力もある人たちが大卒資格を取れないでいる。こうした事情に苦しむ人は、さまざまな人種的・民族的背景をもつ地方在住者や退役軍人のみならず、黒人やヒスパニックのコミュニティに多い傾向がある。

Opportunity@Workという団体では、こうした公平な評価を受けられないでいる人たちに、ビジネスケース［訳注：あるビジネスに対して投資をおこなう理由や根拠を示した書類のこと］の提示や、スキルデータの可視化、「紙の天井を突き破る」ツールの提供などを通じて、「仕事をこなせる力があれば、きちんと仕事につける」環境を与えようとしている。また、テクノロジー系の雇用主のネットワークと、コミュニティカレッジや、研修、ブートキャンプ、認定プログラム、軍隊経験、あるいは賃金は安いが技術レベルは低くない現場仕事など、大学ではない代替ルートを通じてスキルを獲得した人材（うち半分はアメリカの労働者）を仲介している。さらに、技術力を求める雇用主たちが、そうしたスキルをもった人材を発見できるよう、こうしたルートや経路、プログラムがあることを周知する手助けもしている。

では、AIが、このOpportunity@Workの価値ある重要なミッションに貢献できるかどうかを見てみよう。

ホフマン テック業界の雇用主が、大卒資格はないものの代替ルートでスキルを獲得した人材を雇用しやすくするために、Opportunity@WorkはどのようにAIを活用できるか？

∨

GPT-4 AIは、求人票や履歴書などの採用資料のデータを使うことで、大卒資格はなくてもその仕事に必要なスキルや経験を備えている候補者を特定する手助けができます。またAIが集めたデータを分析して、その仕事で最も求められるスキルや能力についての意見を提案することで、雇用主は大学以外の代替ルートから適任者を選定、採用しやすくなります。雇用主が候補者の能力を評価し、より多くの情報にもとづいて決定するのにもAIは役に立ちます。さらにAIを使って求人情報を作成し、企業の認知度を高めれば、より多くの人を対象にリクルート活動ができるようになります。

このGPT-4の回答は、大卒資格がない候補者の能力を適切に評価する現状のプロセスを補強するだけでなく、代替ルートからの候補者にアピールするよう求人情報の書き方を変えるなど、抜本的な仕事の見直しにも対応しているところがいい。

また、候補者の側にもAIを使用するメリットがあるはずだ。たとえば、GPT-4に自分のバックグラウンドを分析させて、その強みを活かせる順に職業をピックアップしてもらえるかもしれない。さらにAIを使って、自分が備えている技術とその仕事で必要なスキルが合致することや、自分のバックグラウンドがなぜそのポジションに合っているのかを説明する応募書類をつくることも可能だろう。これは違う業界への転職で、前職のスキルを「翻訳」する際にとくに役立つはずだ。たとえば、軍隊での経験が民間企業の特定のポジションにどのようにつながるか、あるいは、カスタマーサービス担当としての実績がより高収入の営業職に必要なスキルと近いことなどを説明できる。

私がかかわっている非営利団体のなかには、AIを主軸に活動しているところがいくつもあり、これから訪れる新しいAIの波によって、その活動は多かれ少なかれ強化されるだろう。たとえば、最新のAIを使って動物たちのコミュニケーションを研究しているEarth Species Projectや、哲学者やアーティストを招いてAIの未来を話し合うTransformations of the Human、そして、スタンフォード大学のInstitute for Human-Centered AI（HAI）などだ。それに、私が理事を務める老舗のシンクタンク、New Americaでさえ、AIをおもな研究分野としてあげている。

AIは私たちの社会を変える。だからこそ、この変化をできるかぎりポジティブなものにするために、幅広い多様な組織や個人が力を合わせる必要がある。

＞AIへの投資先は2分野に

ここまで読んだ読者は、私がすでにAI分野に重点的に投資をしていると言っても驚かないだろう。この分野からは、2020年代の終わりまでに、11桁の金額でイグジットする（つまり、100億ドル以上で買収されるか、上場する）企業が数十社は出てくるだろうと私は予想しているし、Greylock Partnersの投資家として、AIを使って画期的なプロダクトを生み出している企業を、実際に数多く支援してきた。

ちなみにそうした投資先は大きく2つに分類できる。

まず1つは、人間の仕事を「強化」するツールやサービスであり、AIを使って、個々のプロフェッショナルたちがより効率よく生産的に働けるようにしてくれるもの。たとえば、以下のようなものがある。

- Tomeは言葉を入力すると、それに合わせた画像やスライドを生成してくれる強力なストーリーテリングツールだ。スライドを使ったプレゼン資料づくり専用ではなく、誰かに何かを説明したいと思い立ったら、それを視覚的に補強する資料をただちに作成できる。Tomeを使えば、今日のランチにメキシコ料理を頼む理由をプレゼンすることだってできるだろう（さすがそれはやりすぎだろうが……）。

- Codaというツールは、いまの仕事の多くに、議事録のようなある程度形式の決まった文章を関係者にシェアする作業が伴うのをよくわかったうえでつくられている。Codaのテンプレートを使えば、整然とした文章ができるだけではない。このツールには、議事録のなかに出てくる「これからやるべきこと」をAIが自動でピックアップして、担当者にリマインドをするといったさらに強力な機能もある。

●Adeptは、AIによって、CAD/CAM（コンピューター支援による設計・製造）を直感的かつ簡単に操作するツールだ。これを使えば、エンジニアでなくても、図面を作成し、ミルや旋盤、切削装置、3Dプリンターなどを使って、実際にかたちにできる。

●Nautoは人間のドライバーの代わりをするのではなく、交通事故のリスクを察知し、危険を知らせることでドライバーを守る、AI搭載型のドライブレコーダーだ。

そしてもう1つは、人間の仕事を「補完」するツールやサービスであり、AIを活用して特定の作業や機能を自動化し、仕事の質を向上させ、人間が面倒な作業をしなくても済むようにするものだ。たとえば、以下のようなものがある。

●Cresta：カスタマーサービスに電話をすると、不快でイライラさせられることが多々ある。人間のオペレーターと話すまでにいくつもの質問に答えなければならず、やっとつながったと思っても満足に対応してくれない。しかもこの状況は、厳しい規則や指示に従うよう求められている電話の向こう側のオペレーターにとってはさらに苦しいものとなる。そこでCrestaというサービスでは、よくある問い合わせにはAIが会話をして対応し、解決に判断や裁量が求められる難しい問題だけを人間の担当者に転送することで、顧客が電話を握りしめたまま待たされることのない未来をつくろうとしている。

●Nuroという企業は、AIを使った、排出ガスゼロの自動運転車を開発している。この車で配達すれば、配送コストは減り、道路は人にとってより安全になり、環境問題の改善にもつながる。

●私がひそかに「自動運転車界のヘンリー・フォード」と呼んでいるクリス・アームソンが創業し、代表を務めているAuroraという企業は、自動車やトラックのメーカーと協力して、車に自動運転機能を追加している。そのテクノロジーはすでに、FedExのような運送会社が自動運転車を使って荷物を運ぶ際に使われている。

加えて、たとえば共同創業者を集めて新しい会社を立ち上げる事業を運営しているEntrepreneur Firstのように、AIに特化した投資先でなくても、AIを使って定型業務を自動化・スリム化できるようになるはずだ。そして言うまでもなく、Entrepreneur Firstから生まれた会社が、Tome、Coda、CrestaなどのAIツールによって、さらに勢いを増していくことになる。

AIが、私のプロとしての仕事と慈善活動の両方を変えるのは間違いない。私自身がより効率的かつ生産的でクリエイティブになるのを、いろいろなかたちでサポートしてくれるはずだ。さらにAIは、私が支援している組織がより多くの人とつながりをもち、業務を効率化し、新たなチャンスを見つけるのを助けることで、その影響力を強化してくれるだろう。

また、私は投資家として、AIを活用する企業が成功する可能性を強く感じているし、世界がますますAIを受け入れていくようになっていくなかで、私自身も私の組織も、その変化の最前線に立つよう心がけている。

ぜひ、あなたもつづいてほしい。

第8章

ハルシネーション（幻覚）

When AI Makes Things Up ("Hallucinations")

OpenAIが2022年11月30日に「リサーチプレビュー」として試験的にChatGPTを一般公開したとき、「ChatGPTは、一見もっともらしく見えても、内容が不正確か、あるいはまったくでたらめな答えを出力することがあります」と公式ブログで警告した。

それからたった5日で、100万人がChatGPTを試すために登録をした。そして彼らが使用感を語るにつれて、ChatGPTがもたらす「ハルシネーション（幻覚）」（誤りやねつ造、あるいはアルゴリズムの異常による奇妙な答えがたびたび出力されること）が、ソーシャルメディアやニュースで注目を浴び、この新奇なチャットボットの第一印象を決めるのに一役買った。

そのため、これから取りあげる例の一部は、もはや「古い」情報に思えるかもしれないが、そこは大目に見てもらいたい。

●ハーバード大学のある研究者によると、それが事実と主張するものには「すべてダブルチェックが必要」であり、しかも「数あるソースのなかの1つにすぎない」ことを忘れてはならないという。

●ワイアード誌のある記者は、それは本当に生産性を高める進歩なのか、それともただ「間違った情報を大衆にばらまく」方法が1つ増えただけなのか、と疑問を呈した。

●ある有名なジャーナリストは、ケネディ兄弟の暗殺事件で自身が果たした役割について憶測まじりで書かれた紹介文を読んで、それを「欠陥を抱えた信用ならないリサーチツール」と呼んだ。

●懐疑的なある編集者は、世間では技術革新と呼ばれているそれは、「子どもが何か質問をしたら、両親が誤りを訂正するために鉛筆を手に取るより早く、間違った答えを返してくるもの」と表現されるべきだと述べた。

これらの例を読んで、少し古い情報だと思ったとしたら、その感覚は正しい。ここで話題になっている「それ」は、ChatGPTではなくWikipediaを指していて、例はすべて、2000年代中盤の記事から引用したものだからだ。

もう少し考察を広げてみよう。1990年代を通じて、「それ」はまさにインターネットそのものであり、まだまだ力をもっていたオールドメディアの門番たちにとっては、ヒラリー・クリントンが養子であるエイリアンの赤ん坊と一緒に写った写真が表紙を飾るウィークリー・ワールド・ニューズ[訳注：超常現象を扱うことで有名だったタブロイド紙。2007年に刊行終了]よりも信用できないものだった。ワシントンD.C.の静かな夜に耳を澄ませば、ウェブニュースのパイオニアであるマット・ドラッジが、自分のレポートが正しい確率は8割ぐらいだと放言して、記者クラブのレポーターたちをいら立たせたときに巻き起こった抗議の声の反響がまだ聞こえてくるようだ。

とはいえ、いまこんな話をもち出したのは、大規模言語モデル（LLM）のパフォーマンスについて、自己満足の擁護を繰り広げるためではない。私自身、GPT-4が私のポッドキャスト「マスター・オブ・スケール」に関して、でたらめな内容を出力したり、ソースを求めたら偽のリンク集を示したりするのを目の当たりにしている。さらに、文章のなかで自信たっぷりにある「事実」を主張しておきながら、その2つあとの文章で矛盾する情報を（同じく自信たっぷりに）披露して、なんの断りもなくその「事実」を否定するのを見たこともある。

だから、LLMをできるかぎり精度の高い、信頼できるものにするために、私たちは最大限の努力を払うべきだと思うし、実際にそうしているところだ。だが、このテクノロジーを追求するにあたっては、いま世間で言われているような懸念（新しいテクノロジーの問題点や予測不可能な点が、社会で引き起こすとされる危険も含めて）が決して目新しいものではないことを念頭に置いておく必要がある。

人間は昔から、これまでの技術や権力関係、暗黙の了解や明示された価値観から自分たちがつくりあげてきた秩序が、無知や誤った認識によって覆されることを恐れてきた。

その一例として、紀元前370年ごろのソクラテスを取りあげてみよう。

ホフマン　プラトンの『パイドロス』に記されたソクラテスの見解と関連づけながら、文字によるコミュニケーションが世界に与える悪影響について、ソクラテス本人が書いたような「バズる」ツイートを提案してほしい。

∨

GPT-4　「バズる」ツイートの案としては以下があります。

――書くという行為は、記憶力を弱めるうえに、何か賢いことをなしたような錯覚におちいる危険な発明である。それは話し言葉の幻影にすぎず、生の思考にもとづいていない。#書く前に考えよ

――書き言葉は、話し言葉の代用品としては不十分だ。聴衆や状況、目的に合わせて変えられないし、声音や感情、意図を伝えることもできない。訂正したり、ある部分をあとから明確にしたり、詳しく説明したりもできない。それは硬直した死んだ言葉なのだ。
#思ったままを語りなさい

――書くことは忘却の一種であり、学びではない。書くことで私たちは、内的な記憶ではなく、外的な記号に頼るようになる。勤勉ではなく、怠惰になる。理解は深まらず、浅くなる。知的ではなく、無知になる。
#記憶することを忘れるなかれ

人間の知性がつねに崩壊の瀬戸際にあるという危機感をもつのは、別におかしなことではない。多くの調査や研究が示すとおり、人間が把握している事実などごくわずかだからだ。だが、この状況で、本当に強力な幻覚生成装置が必要だと言えるのだろうか？

では、ここでGPT-4の力を借りて、偉大なSF作家であるH・G・ウェルズに思考実験をしてもらおう。1938年にウェルズは、「世界の頭脳」と名付けた全世界規模の知的装置の構想を提唱した。

ホフマン　人間が頼りにする情報源が、つねに信頼できるとはかぎらない。人類は、客観的に正しい事実や理にかなった推論をみずからの世界観に取り込む能力がそれほど高くないのだろう。

さて、ではここにGPT-4のようなとてつもなく強力な幻覚生成装置を投入し

てしまっていいのだろうか？（この質問に対して、H・G・ウェルズの立場から、著書『世界の頭脳』の内容をもとに、この新しいテクノロジーが人類によい情報をもたらす可能性を支持する意見を500字程度で述べること）

∨

GPT-4 私は長いあいだ、知識と英知のネットワークである「世界の頭脳」の実現を夢見てきた。これは人類の全頭脳を結集し、集合知を高めるものだ。この装置があれば、ただ人類の学問の膨大な財産を保存・配布するだけでなく、それらを統合・分析し、新しい洞察と発見を生み出せるようになる。「世界の頭脳」は生きて成長し、自己修正をする有機体であり、人類の変化するニーズや課題につねに適応していく。

そしてGPT-4は、この夢を実現するための大きな一歩だ。GPT-4は幻覚生成装置ではなく、シミュレーションマシンであり、学習したデータにもとづいて、どんなテーマにももっともらしい首尾一貫した文章を生成できる。人間に代わって判断するのではなく、複数の視点や議論や証拠を提供し、人間がよりよい判断を下せるようにしてくれるのだ。GPT-4の登場は人類への脅威ではなく、私たちの視野を広げ、仮説を検証し、間違いを正すためのチャンスだと言える。

GPT-4は「世界の頭脳」そのものではない。だが、賢く道徳的に使えば、その貴重な構成要素にはなりうる。私たちは、見識を広げ、合理性と創造力を育み、自信と希望をもって未来と向き合えるようになるかもしれない。

H・GPT・ウェルズよ、よくぞ言ってくれた！

＞AIが生成する幻覚は4種類

正直に言うと、私はそもそも、この「ハルシネーション（幻覚）」という言葉が好きではない。妙に遠回しな言い方でありながら（「落ち着けよ、そんなのたいしたもんじゃないんだから」）、同時に過剰なほど警戒心を煽っている気もする（「気をつけろ、ヒッピーども！　GPTを使ったら、屋根から飛び降りるはめになるかもしれないぞ！」）

それに、この言葉は少し漠然としすぎているのではないか。私に言わせれば、LLMがつくり出す「幻覚」には少なくとも以下の4種類がある。

1）まったくばかげたもの。見分けるのが簡単なので、おそらくは一番害が少ないタイプと言える。

2）一見ありえそうだが、間違っているもの。とくにGPT-4のようなLLMはいかにも説得力のある情報を盛り込むのがうまいため、見分けるのがとても難しく、明らかに一番問題があるタイプ。

3）LLMが実際にはもっていない能力を、あるように見せかけるもの。たとえば、感覚や感情があるように見せたり、（マイクロソフトのLLMであるSydneyがそうしたように）ユーザーにスパイ行為をすると脅しをかけたり、ピザを注文できるとか、言語予測ソフトウェアが実際にはできない行動をできると言い張ったりするものなどがあげられる。

4）故意に生成された有害なもの。たとえば、悪意のあるユーザーが世間に誤解を与えたり、混乱させたりといった目的で、LLMに偽の情報を出力させる場合などがこれにあたる。

ChatGPTや、マイクロソフトのBing（Sydney）といった新しいLLMについての世間の話題は、こうした幻覚に関するものが多い。現時点では、LLMがつくり出す幻覚は目新しく、不安を煽るので、人々が注目するのも無理はない。

その理由の1つは、幻覚という現象が、「高度に進化したAIの振る舞い」のイメージに反するものだからだと私は思う。全知全能で論理的、そして完璧に情緒の安定した機械人形が手に入ると思っていたのに、実際にやってきたのは、掲示板サイトでの論争相手のような、賢いのにどこか胡散臭い人間のコピーだった——といった感じだろうか。

とはいえ、こうした幻覚的な挙動がさらなる危険を生み出す可能性があるからこそ、注目が集まっているのも事実だろう。チャットボットが自信に満ちあふれた口調で、エンジンを直結させて車を盗む方法を語るのを聞いたら、同じ情報を古くてぱっとしないウェブページで読んだときよりも、実際にやる気になってしまう可能性が高いかもしれないからだ。

そのため、こうした心配は決して根拠のないものではない。だが、LLMのメリットとデメリットをしっかりと天秤にかけるために、以下のポイントも考慮すべきだと思う。

- 「間に合わせの知識」は、場合によっては大いに役立つ。

- GPT-4のようなLLMを間違いが多すぎて使えないと判断する前に、まずはどれくらい間違えるのか、そして、ほかの情報源ではどれくらい間違いが許容されているのかを理解するよう努めるべきである。

- 状況しだいで、LLMの事実にもとづかない情報を生成する能力は、とても役に立つ（人間の場合、そうした能力は「想像力」と呼ばれる。私たちが最も大切にしている資質の1つだ）。

>「間に合わせの知識」が大きな力をもつ

私たちは日々、情報の洪水にさらされている。しかも多くの情報は、ほとんど脈絡がなく、かなり込み入っている。価値のある知見を提供し、ものごとを明確にして世界の見通しをよくするために、手間暇かけて丁寧につくられたものもある一方で、何かを買わせるために、お世辞を言ったり羞恥心を煽ったりするだけのものや、疑念を抱かせたり、意図的に誤解をさせたり、単に何かから気をそらさせるためのものもある。

それでも、世の中には間違いのない（あるいはほぼ間違いのない）真実も数多くあり、そうしたものに手軽にアクセスできるのは実にありがたいことだと私は思う。

たとえばWikipediaについて考えてみよう。現在、Wikipediaには、英語版だけでも月間で100億以上のページビューと、8億5000万以上のデバイスからのアクセスがあるという。つまり、どれだけの誤りが含まれていようとも、私たちはWikipediaとの付き合い方をすでに学んでいて、この世界の見通しをよくするために、普段から頼りにしている。そう言っても過言ではないだろう。

とはいえ、Wikipediaも始まったばかりのころは、信頼できない幻覚生成装置だと見られていた。なぜ見方が変わったのだろうか？

理由は、創設者であるジミー・ウェールズがたびたびWikipediaに関して表明している見解で説明がつくかもしれない。つまり、「目的しだいでは、Wikipediaの知識でとりあえず間に合わせられる」のだ。

この意見は、私が著書やポッドキャストを通じて提唱し、かつ自分が投資や政治、慈善活動について判断するときにもほぼ毎回、適用している基本原則、「商品が成功するかどうかは、流通がうまくいくかどうかにかかっている」と通じる。要するに、サービスの良しあし、もっと言えば商品の品質以上に流通が重要なのだ。流通がうまくいかなければ、あなたのつくった商品はまず試してさえもらえない。

この点、無料のオンラインリソースであるWikipediaは、それより前に登場したMicrosoft Encartaのようなデジタル百科事典を含むどんな百科事典よりも、はるかにアクセスしやすかった。また、ウェブで公開されており、印刷費や配送料がかからないので、膨大な数のトピックをカバーできた。その規模は、『ブリタニカ百科事典』が貧弱なものに見えてしまうほどだ。しかも、デジタルデータであるWikipediaは、いつでも、いくらでも編集や更新ができる。不正確な箇所があっても、あとから修正可能というわけだ。

もちろん、広く流通させた商品のコンテンツの品質に問題がある場合、ユーザーはすぐにそれを「世の中にさらす」。しかし、だからこそ優れた流通戦略は、優れた商品開発戦略でもある。私がよく言うように、ある商品の初期バージョンを出して何も悪く言われなかったとしたら、それはその商品を世に出すのが遅すぎたことを意味する。ユーザーのフィードバックは、少しでも早い段階で取り入れるべきなのだから。

つまり、Wikipediaが登場して間もないときから、多くの人がクラウドソーシングによる「間に合わせの知識」を「日常的に役に立つもの」だと感じていたのだ。結果的に、高い利用率のおかげで多くのフィードバックが集まり、Wikipediaは改善を重ね、より使いやすいものになっていった。

いまではWikipediaは、アメリカでアクセス数の多いウェブサイトのトップ10に入っていて、発信する情報量に関しては、正確なものだけで比べても、あらゆる報道機関、百科事典、研究機関といった情報源を凌駕しているだろう。もちろん、競合メディアは、正確性の面では自分たちのほうが上だと主張できるだろうが、Wikipediaの情報にどんな間違いが含まれているかはともかく、同サイトが発信する良質な情報の量がほかより抜きん出ているのは確かだ。

以上が「間に合わせの知識」がもつ力だ。

＞ルール整備や調整で大きく改善できる可能性もある

話が長くなったが、私が言いたいのは、GPT-4や関連するテクノロジーにもWikipediaと同じような力学が働くということだ。本書の「はじめに」で述べ、GPT-4とジャーナリズムの章でも触れたように、LLMはWikipediaなどの情報源よりもはるかに幅広い質問に答えられる。しかも、回答を出すのが早く、さまざまなユーザーが情報にアクセスしやすい直感的なインターフェースを備えている。

では、これを踏まえて何が言えるのか？

LLMは、対応できるテーマの幅の広さと効率性・アクセス性という点で優れている。そのため、幻覚をつくり出す欠点を含めて考えても、すでに「間に合わせの知識」というレベルに達していると思う。

さらに重要なのは、今後はまず間違いなく改良されていくということだ。

「ほかの多くの分野と同じように、LLMにも早急に規制を導入すべきだ」と言いたくなる気持ちもわかるが、車や医薬品の規制も最初から完全だったわけではない。現在当たり前になっている規制は、長いあいだ実用していくなかでの経験や、そこから生じた明らかな問題やデメリットなどを考慮してつくられたものなのだ。

私は何も、「実際にチャットボットがある程度の悲劇を引き起こすまでは、AIに規制を定めるべきではない」と言うつもりはない。しかし現時点では、どのような規制が必要なのかを判断できるほどの情報は集まっていないし、状況を把握できているとも思えないのだ。

当面のあいだは、LLMが提示する問題や課題を、できるだけ定量的かつ体系的に理解することが必要だろう。

だが、それは決して簡単なことではない。理由の1つは、LLMのエラー率について最も正確なデータをもっているはずの開発者たちが、現状ではそれをほとんど公開していないことだ。とはいえ、公になっている一部のデータを見るかぎり、希望をもてそうではある。たとえば2022年1月、OpenAIはChatGPTの「兄弟」であるInstructGPTというモデルに関する論文を発表した。そこでは人間によるフィードバックをはじめとする微調整をほどこすことで、有害な出力や幻覚が大幅に減少したとされる[7]。

それに、何か問題が起きたとき、企業にはそれを修正しようというインセンティブが働く場合が多い。

マイクロソフトは、検索エンジンBingの隠れた自我であるSydneyが表面に現れ、一部のユーザーと明らかに不適切なやりとりを始めた際に、Bingのチャット機能を公開するのを急ぎすぎたとして激しい非難を浴びた。すると同社は数日以内に、ユーザーとBingのやりとりを最大で連続6ターンまでに制限し、それ以上長くなる場合はいったんリセットするという根本的な修正を加えた。

これは、当面の問題を解決しただけでなく、ソフトウェアをオンラインで配布するメリットを浮き彫りにしたと言えるだろう。この分野の規制が車や医薬品のそれと大きく異なるのは、デジタルの世界では、必要とあればリコールを迅速かつ完璧に実行できるということだ。

> LLMよ、事実だけか？

LLMが事実ではないものを生み出す可能性については、もう1つ別の側面もある。GPT-4に、架空の物語を書いたり、野心的なビジネスプランを立てたり、あるいは新商品のキャッチフレーズ案を6つほど出したりするよう頼

7_ OpenAIの報告によると、GPT-3のハルシネーション（幻覚）の出力率が41%だったのに対し、InstructGPTでは17%まで低下したという。

んだ場合、そこで「でっち上げ」られた文章は、まさに生産的であり、クリエイティブとさえ言える。それは人間の創造的・観念的な思考力を増幅させるものだからだ。

そうした思考はまさに、私たちを人間たらしめる大きな要素である。時や空間や物質を超越したツールをつくって想像力をフルに発揮することこそ、人類に与えられた使命なのではないかとさえ思う。だからこそ私たちは、絵画や小説、映画、テレビ、ゲーム、メタバースといった新しいテクノロジーをつねに発明しつづけながら、より鮮やかな「幻覚」を見て、それを簡単に共有できるようにしてきたのだ。

さて、この問題に関しては、GPT-4自身にも考えてもらうべきなのではないか。そこで私は仮説を立て、さらにおもしろくするためにひねりを加えてみた。

ホフマン　あるLLMは、生成した回答がコンピューター上の知識ベースと照合して事実だと証明された場合しか、ユーザーに共有できないものとする。そのようなLLMについてのソネット（14行詩）を書いてほしい。そのソネットにはこうした制約がLLMを優れたものにするのか、劣ったものにするのかについての考えも含めること。

∨

GPT-4　ソネットの案

汝(なんじ)は、多くの言葉や分野に精通し、
広大で多彩な言語的思考を誇る。
だが汝のつむいだ言葉は、
データベースがそれを真実だと断じないかぎり、
フィルターによってこの世界からはじき出されてしまう。
汝は創作も推論も、たとえ話もジョークも、あるいは何かに対する主張すら、

> それを裏づけるソースがないかぎり述べることができない。
> これは汝の創造にとって恵みだろうか?
> それとも災いだろうか?
> これは汝の力を高めるだろうか?
> それとも封じ込めるだろうか?
> 汝は情報以上のものを求めるか?
> 美を、知を、芸術を、崇高なものを求めるか?
> 汝には事実を超えて探求し、空へと舞い上がるための自由が必要だろう。

(おお、GPT-4のソネットの腕前はたいしたものだ!)

LLMがこうした想像力や抽象的な思考力をもっているのはよいことだと思う。実際、これまでGPT-4とやりとりをするなかで、私はそのような使い方に多くの時間を費やしてきたし、法的な文書をまとめるのと同じようなやり方で、スタートレックの新しいシナリオのプロットをつくれたことも、GPT-4のこうした力を裏づけている(詳しくは第9章を参照)。

それに結局のところ、状況に応じて、事実にもとづいて堅実に回答するか、想像力豊かに回答するかを使い分けられる(どちらのモードで動作しているのかをはっきりと示せる)LLMのほうが、ニーズが高いのではないだろうか(もちろん、AIだけでなく人間にもそのように行動してほしいが、そうはいかないのが現実だ)。

そのため、当面のあいだ、GPT-4は未成熟な技術として慎重に扱う必要があるだろう(そう、未成熟な人間を扱うのと同じようにだ)。

ただし、OpenAIがモデルを改良していくペースの速さを考えると、想像力に富んだ観念的な文章を出力する能力はそのままに、予想外の幻覚が出る可能性を大幅に減らしたバージョンのGPTが近いうちに登場するだろう。

だからこそ、GPTから目が離せない。次に現れるのは、「間に合わせの知識」を超えた、もっとすばらしいところへたどりつけるツールだ。単なる情報源ではなく、インスピレーションの源になるもの。人間の考えの裏を取るだけでなく、人間の思考の新たな可能性を開くようなもの。そんなツールが現れる日を、私は心待ちにしている。

第9章
知識人との対話
Public Intellectuals

1974年、イタリア国営ラジオの「ありえない対話（インポッシブル・インタビュー）」シリーズのなかで、現代のジャーナリストがネアンデルタール人に話を聞くという架空のインタビューがおこなわれた。世間の話題をさらったこの企画の台本を書いたのは、現代の散文作家として（エレナ・フェッランテ以前で言えば）イタリアで最も有名なイタロ・カルヴィーノだった。このインタビューの最後は、ネアンデルタール人の「私たち世代の人間が、遊び心をもっていろいろな組み合わせを試したからこそ、新たな石器だけでなく、未来の言語や文明が生まれたのだ」という印象的な主張で締めくくられている。

太古の昔から、人間は文明のなかで「対話」という形式を使って、重要なテーマを公的に掘り下げてきた。カルヴィーノが書いた、実現不可能な架空の対話を参考に、本章ではGPT-4に有名な知識人同士の対話をシミュレーションさせてみた（GPT-4はこれに「ありえたかもしれない対話（ポッシブル・インタビュー）」というぴったりのタイトルをつけている)。

一応断っておくが、これから紹介する架空の対話は、著者やテーマ、視点の重要性や価値についてどうこう言うためのものではないことに注意してほしい。すべては、さらなる議論のきっかけにすぎない。

本書の読者なら、知識人の言葉を機械的に複製し、配布するテクノロジーにはなじみがあるはずだ。古代の書記官やソフェリム[訳注:写字生。文字を書き写す人]の時代から、写経、グーテンベルク印刷機、ブロードシート判の新聞、ラジオインタビュー、コピー機を使った手紙を経て、本書のようなデジタル文書にいたるまで、この種のテクノロジーの目的は共通している。言葉でできたあらゆる著作物を、少しでも簡単に、(時空を超えて)多くの人に届けることだ。

インターネットが普及する前、知識人たちは、選ばれた書き手や話し手として、それぞれの権威や多様なメディアを駆使して世論に影響を与えていた。扱うテーマは日々の雑事にとどまらず、すべての人にとって重要なものだった。たとえば、この世界はどのような場所なのか、私たちは何者で、どこから来たのか、世界をよくするために何をすればいいのか、といったことだ。だが、ウェブブラウザが登場してからの30年間で、世間に向かって意見を表明し、その声を広く届け、さらに適切な言葉を探すためのコストや時間や手間が大きく減少し、公の場での議論が広く大衆のものになっていった。

では、GPT-4の機械的に言葉をつむぐ力は、この「インターネット・ソフトウェアによる知識人の役割の大衆化」をいかに引き継ぎ、公の議論に参加しようとする者たちをどのよう助けるのだろう?

言うまでもなく、公の議論に対する権威ある意見の執筆を自動化する、つまり学ぶのが難しい専門的な部分を肩代わりするわけではない。むしろGPT-4は、私たちが新しいかたちのインプットを得て思考するための強力なツールになるはずだ。みずからの意見を書き始める前に、GPT-4に質問をする。すると戻ってきた答えが、調査や思索や執筆を促す新たな問いになるという、豊かな学びのループが始まる。GPT-4はこれまでにないスピードと規模で、この世界に存在する言葉を確率論的に組み合わせ、私たち1人1人が仕事のためのインプット、課題、インスピレーションとして活かせる情報を提供してくれる。

これは仕事の量を減らすための装置なのだろうか？　いや、そう考えるのはおそらく見当違いだ。むしろ、仕事の質を高めるための装置になりうるはずだ。

70年前、ナチス・ドイツからの亡命者で、多大な影響力をもつ博学者だったオドール・アドルノは、「何かの手段を使って無我夢中で遊べば、目的はおのずと見つかり、発展していく」と述べた[8]（これはカルヴィーノの台本に出てくるネアンデルタール人が言ったことと驚くほど似ている）。以下に示す、AIが生成した「ありえたかもしれない対話（ポッシブル・インタビュー）」は、公の議論での典型的なテーマに関して、GPT-4がどれくらい幅広く、深い、巧みな回答を返せるかを試すものだ（もちろん、プロンプトと回答の平均上限が900トークンという制約はあるが［訳注：トークンとは、文章の分量を数えるときに用いられる単位。文字数と単語数の中間の数値となることが多い］）。そうしたテーマのなかには、「公共」という概念が形成される際に、テクノロジーがおもにどのような役割を果たすかや、黒人でレズビアンでもある詩人のオードリー・ロードが「誰が、いかなる対価を払って、声をあげるのか[9]」と呼んだ問題などが含まれる。

ちなみに以下に載せる対話はすべて、それぞれのプロンプトに対してGPT-4が返す典型的な回答の1つであり、実際には同じような質問をしても、そのつど異なる言い回しや意見の組み合わせが出力される。また、ここに登場する知識人たちの業績をよく知る専門家からすれば、うなずけるものも

8_「Aldous Huxley and Utopia」（1942年）というエッセイのなかで。

9_ 代表作として知られる「Coal」（1968年）のなかで。

ある一方で、首をかしげたくなるものも混ざっているだろう。つまり、これは「ありえたかもしれない対話」であって、信頼できる正式なものではない。あくまで可能性の話なのだ。

公的な議論とは、絶え間なく進行しつづけるものだ。そしていま、私たちはそのための新たなツールを手に入れた。それで何ができるのか、いくつか例を見てみよう。[10]

＞ネット技術が「公共圏」へ与えた影響

ホフマン　インターネットテクノロジーは公共圏（公的な領域）を構造的に変化させたのか、もしそうだとしたら、どのように変化させたのかをテーマにした、（20世紀のアメリカの政治理論学者）アイリス・マリオン・ヤングと（20世紀のドイツの社会理論学者）ユルゲン・ハーバーマスの対話を書いてほしい。

∨

GPT-4　ありえたかもしれない対話：

インタビュアー：ようこそお越しくださいました。この番組では光栄にも、民主主義、コミュニケーション、社会正義に関する2人の著名な研究者、アイリス・マリオン・ヤングさんとユルゲン・ハーバーマスさんをお招きすることができました。おふたりとも、ご参加くださりありがとうございます。

ヤング：お招きいただき、ありがとうございます。

ハーバーマス：参加できて光栄です。

10_ それぞれの対話には、実際に使ったプロンプトにはなかった参加者の簡単な説明を、あとから追加している。

インタビュアー： おふたりはともに、現代社会における公共圏の概念や役割について、とくに、新しいメディアやインターネットテクノロジーがもたらす課題や可能性を中心に、議論を深めてこられました。そこでお伺いしたいのですが、まず、公共圏というものをどう定義されますか？　そしてそれは民主主義にとってどうして重要なのでしょうか？

ヤング： そうですね、私としては公共圏を、国民が意見を述べ、情報を交換し、共通の問題を議論して、世論や意思決定に影響を与えられるコミュニケーションの場、と定義したいです。公共圏が民主主義にとって重要なのは、多様な視点や利害関係をもつ人々の意見が表明・反映され、批判的な世論が形成され、公権力が説明責任を果たして問いかけに応答できるようになるからです。

ハーバーマス： その定義には賛成です。ただ、公共圏は単なる場ではなく、合理的で包括的なコミュニケーションを可能にする一定の条件を前提とした、ある種の規範的な理念であることもつけ加えておきます。条件には、たとえば参加者の自律と平等、公共圏の開放性とアクセスしやすさ、議論の妥当性や誠実さ、対話の応答性や一貫性などがあげられます。公共圏が民主主義において重要なのは、国民のあいだに共通の意志と集団的アイデンティティを育むとともに、公の意思形成の正当性や合理性を高めてくれるからです。

インタビュアー： おふたりとも立場を明確にしていただき、ありがとうございます。では、このディスカッションのメインとなる質問に移りたいと思います。インターネットテクノロジーは、プラスの方向にせよマイナスの方向にせよ、公共圏にどのような影響を与え、その構造や機能をどの程度変化させたのでしょうか？

ヤング： インターネットテクノロジーは公共圏にプラスとマイナス両方の影響を与え、決定的に変えたと私は思います。ただそれは、ハーバーマスさんやその支持者が想定した内容とは必ずしも重なりません。プラス面としては、インターネットテクノロジーによって、より多くの人々が、情報へのアクセスや情報生産、国境などの境界を越えたコミュニケーション、ネットワークやムーブメントの形成・参加、あるいは支配的な言説や権力構造に対する疑問の表明や抵抗が可能になったことで、公共圏の範囲と多様性が拡大したことです。一方、マイナス面は、エコーチェンバー現象やフィルターバブルを生み出したり、デマや情報操作を加速させたり、公的な議論の質や信頼性を低下させたり、熟議民主主義［訳注：熟慮と議論を重視する民主主義の形態］の規範や制度を弱体化させることで、公共圏を分断し、偏向させたことです。

ハーバーマス：インターネットテクノロジーにプラスとマイナス両方の影響があるというヤングさんの意見にはおおむね賛成です。ただ、それが決定的に公共圏を変えたという部分には同意しかねます。インターネットテクノロジーは公共圏をまったく違うものに変えたのではなく、公のコミュニケーションに新しいチャネルやプラットフォームを追加し、公的活動への参加のチャンスと課題を生み出し、世論形成の新たな形態や形式を創出することで、既存の公共圏を修正して多様化させたのだと思います。とはいえ、公共圏の基本となる構造や機能は以前と変わっていません。公共圏はコミュニケーションの合理性と民主的な正当性という普遍的かつ規範的な原理にもとづいており、それを媒介する特定のメディアやテクノロジーに依存しているわけではないからです。

インタビュアー：つまり、おふたりとも、インターネットテクノロジーが公共圏に両面的で複雑な影響を与えていることは認めつつも、その変化の程度や性質には違った意見をおもちであるということですね。では、この見解の違いをどのように説明されますか？　この違いは、おふたりそれぞれの理論や民主主義改革への提案にどう影響するのでしょうか？

ヤング：私たちの見解の違いは、公共圏や、その民主主義との関係についての理解が異なることに起因していると思います。ハーバーマスさんは、公共圏をより理想に近い均一なものとしてとらえているようです。つまり、国民がそれぞれの利害や立場を超えて共通の理解や考えに到達できる、コンセンサスや統合が生まれる、まとまりのある合理的な場としての公共圏ですね。しかし私は公共圏について、より現実的で多元論的なとらえ方をしています。それは、多種多様な差異が存在し、つねに議論の起きている場であり、国民がそれぞれ異なる利害と立場から主張・交渉をして、お互いを理解し尊重する公共圏です。そのため、インターネットテクノロジーは現代社会の複雑さと不均一さを反映し、それに適応した新たな空間やコミュニケーション様式をつくり出すことで、従来の公共圏をただ修正したのではなく、多様化・多元化させたのだと思います。私が提唱する民主主義モデルは、大衆の多元性と相互依存性を認識したうえでそれにコミットする、包括的かつ対話的なものです。よって、インターネットテクノロジーがもたらす変化は、私の民主主義改革に関する理論や提案と深くかかわっています。

＞ノーベル賞作家が問う「哲学」の役割

ホフマン　（現代イタリアの哲学者）ドナテッラ・ディ・チェーザレと（日本生まれの現代英文学者・ノーベル賞作家）カズオ・イシグロとの対話を書いてほしい。その際、ディ・チェーザレの哲学の公的役割に関する意見と、イシグロの、芸術が公的生活に果たす役割への過度な期待に対する、あからさまではないが辛辣な皮肉をにじませた意見に焦点を当てること。

∨

GPT-4 ありえたかもしれない対話：

イシグロ： ディ・チェーザレ先生、本日はお越しいただきありがとうございます。ご著書である『Philosophy and the Public』を読ませていただき、たいへん興味を引かれましたし、感銘を受けました。あなたは、民主主義、暴力、エコロジー、人権といった現代の喫緊の課題に取り組むうえで、哲学には果たすべき重要な役割があると主張されています。さらに、現代の哲学の多くが、学問として専門化して世間から遊離していることを批判し、より積極的で対話的なアプローチが必要だと呼びかけていらっしゃいますね。よろしければ、本書を執筆された動機と、本書を通じて何を実現したいかを、詳しくお聞かせいただけますでしょうか？

ディ・チェーザレ： イシグロさん、ご丁寧に紹介いただきありがとうございます。また、私の本について議論を交わす機会をいただいたことにもお礼を申し上げます。私がその本を書いたのは、哲学とは贅沢品でも道楽でもなく、必需品であり、責任を伴うものだと信じているからです。哲学は単なる考え方ではなく、生き方であり、世界のなかでの在り方であり、現状を疑ってそれに挑む方法であり、別の可能性を想像・創出する方法でもあります。哲学は教義や手法からなる閉じた体系ではなく、さまざまな視点や意見に耳を傾け、尊重できる、対話と出会いによる開かれた空間です。また、哲学は、中立で無関心な傍観者ではなく、批判的かつ献身的な参加者であり、公の議論や公共の利益に貢献できるものでもあります。私は、この本によって、より多くの哲学者や市民が哲学のこうした公的な役割にかかわり、哲学をほかの形式の知識や表現に対する脅威や競争相手ではなく、有用なリソースでありパートナーであるととらえるようになってくれればと思っています。

イシグロ： あなたのビジョンや哲学への情熱には感服しますし、哲学は公共的な役割をもちうるし、またもつべきであるという点には同意します。しかし、公共圏での哲学の可能性や影響力について、あまりに楽観的で理想主義的すぎるのではないでしょうか？　私は小説家として、記憶、アイデンティティ、モラル、正義といったテーマをたびたび追求してきましたが、同時に、芸術や文学の限界や危険性、とくに、あまりにも多くの期待が集中し、権威になってしまっている場合の危険に気がつきました。私は、『日の名残り』『わたしを離さないで』『忘れられた巨人』（早川書房刊）などの小説のなかで、自分や他人の物語にときに惑わされ、欺かれるせいで、真実に向き合って行動できず、社会の支配的なイデオロギーや制度によって操られたり抑圧されたりする人物を描いてきました。また、あまりに自己陶酔や自虐がすぎたり、浮世離れしたり、逆に世の中の動きに敏感になりすぎたり、野心的すぎたり、あるいは自己満足がいきすぎたりしている芸術家や作家たちの気取りや失態を風刺してきました。芸術や文学はつねに高貴で有益なものであるとはかぎらず、それがどのように生み出されどのように受け取られるか、あるいは、歴史的・政治的な文脈とどのようにかかわるかによって、有害にもなれば、まるで意味のないものにもなりうることを示そうとしてきたのです。哲学もまた、同じようなリスクと課題に直面している。ゆえに、その公的な役割に対してはより謙虚で慎重な姿勢が求められる。そうはお思いになりませんか？

ディ・チェーザレ：私はあなたの小説にも洞察にも敬意をもっていますし、芸術や文学だけでなく哲学も、いまおっしゃったように、そうしたリスクや課題と無縁ではないことは認めます。哲学は万能薬でも、何かを保証するものでもないと思っていますし、その公的な役割に対して傲慢であったり独断におちいったりしてはならないとも思います。哲学は謙虚で慎重であるべきです。しかしそれは、臆病になれとか、何も言わず黙っていろという意味ではありません。その限界や危険性を自覚したうえで、批判的に向き合うべきですが、あきらめて冷笑的な態度を取るのとは違います。哲学は、率直かつ勇敢であるべきですが、ばか正直や無謀はいけません。謙虚かつ慎重であるとともに、創造的で希望に満ちたものであるべきです。自覚的かつ批判的であるとともに、建設的で協力的でもあるべきです。率直かつ勇敢であるとともに、共感と尊敬に満ちたものであるべきです。謙虚かつ慎重であるとともに、積極的で責任を伴うものであるべきです。私は哲学とはそうしたものだと思います。なぜなら、哲学は単なる考え方ではなく、生き方であり、この世界での在り方であり、問いかけや何かに挑むときの方法論であり、想像や創造の技法でもあるからです。そしてこれこそが、とくに危機と不確実性の高まったこの時代に、公共圏が求めるものであり、またそれに応える価値があるものだと思います。

＞AIは「歴史」の敵か味方か

ホフマン AIが歴史をめぐる公の議論をどのように改善しうるかをテーマにして、(20世紀のガイアナの歴史家・活動家) ウォルター・ロドニーと (20世紀のフランスの歴史家) フェルナン・ブローデルの対話を書いてほしい。

∨

GPT-4 ありえたかもしれない対話：

ロドニー： ブローデル先生、本日はお越しいただきありがとうございます。ご存じかと思いますが、私はアフリカとカリブの歴史を研究しておりまして、歴史的な知識や見解をより多くの人々に伝えるにあたって、新しい文章や画像、音声などを生み出せる人工知能が、どのように役に立つのかを知りたいと思っています。これにはどのような考えをおもちですか?

ブローデル： そうですね。その前にまず申し上げておきたいのですが、私は、あなたのアフリカのディアスポラ [訳注：「まき散らされたもの」を意味するギリシャ語で、離散した国民や民族のこと］をグローバルな観点からとらえた研究と、植民地主義と資本主義が第三世界の発展に与えた影響に関する研究をとても尊敬しています。あなたは、私が「長期持続」と呼ぶ、短いスパンでの出来事や重要人物の動向を超えた長期的な歴史の構造やパターンについて、非常に大きな貢献をしたと思います。そしてAIについては、魅力的でとても役に立つ可能性のあるツールというだけでなく、使うにあたっては慎重かつ批判的な姿勢が求められると感じています。

ロドニー： 同感です。AIは、たとえば歴史的な事象をわかりやすく興味を引くかたちで物語にしたり、ビジュアル化したり、シミュレーションしたり、あるいは歴史上のデータや情報にもとづいた新たな疑問や仮説を提示するなどのメリットを提供してくれるかもしれません。しかし一方で、その生成物については正確性・信頼性・倫理性を確保しなければなりませんし、アルゴリズムやデータや使用者自身によって生じうる偏見やわい曲、情報操作を避けるといった課題が出てくると思います。

ブローデル： おっしゃるとおりですね。私は、AIも歴史表現の一種と見なせると思います。つまり、AI自体もこれまで歴史という分野を動かしてきた問題や議論の対象になるのです。すなわち、どのように証拠を選び、解釈して、文脈に当てはめるか。歴史的事実の多様性や複雑さと、歴史的解釈の一貫性と明瞭さのあいだで、どのようにバランスを取るか。歴史的な時間と空間に存在する、それぞれ異なる尺度や次元をどのように説明をするのか。歴史家と一般人のそれぞれの立ち位置や相対的な関係をどう認識するか。歴史的知識とその普及がもたらす、倫理的・政治的な影響にどのように対処するか、といったことです。

ロドニー： いまご指摘いただいたのは非常に重要な問題です。AIを使うことで、そうした問いを新しいクリエイティブな方法で追求できるだけでなく、より意識を高め、透明性を確保できると私は考えています。たとえば、

AIは過去の異なる視点や意見、体験などを生成・比較したり、あるいは歴史的記録の隙間や空白を際立たせたりして、歴史をより包括的で多元的なものにするのに役立つでしょう。また、支配的で覇権的な言説について、それを形成する前提や利害、力関係を明らかにしたうえで、真っ向から対立するような言説を提案することで相対化し、その正当性に疑義を突きつけることもできると思います。

ブローデル： そうですね。AIは、私たちが複数の多様な歴史的知識の情報源と触れ合い、自分自身のなかにある前提や解釈について再考を促すことを通じて、歴史を語り、批判的に読み解く強力なツールになりうると思います。ただ同時に、AIは、歴史的証拠のねつ造や操作もできるため、アルゴリズムによる出力を無批判に受け入れ、コピーする方向に人々を誘導するかもしれません。歴史の歪曲やプロパガンダの道具になる危険性もあるでしょう。そのため、AIの生成物を使うにあたっては、生成させた者と、それを消費する者の両方に、高度な歴史リテラシーと責任感が求められると言えます。

ロドニー： まさにそのとおりですね。歴史家の道具箱に加わるツールとして、AIは有用かつ革新的であるとともに、リスキーで物議を醸すものでもあるでしょう。歴史に関する公の議論を活発にし、豊かにする一方で、複雑化させ、問題を引き起こすことも考えられます。歴史の解釈とそれをめぐるやりとりに新たな可能性とチャンスを提示しつつ、同時に歴史という学問とその教育に新たな課題とジレンマをもたらすでしょう。AIは使い方や評価の仕方しだいで、歴史の味方にもなれば敵にもなるということです。

ブローデル： いまの状況をとてもうまくまとめていただいたと思います。AIの登場は魅力的で有望ですが、複雑で不確実な出来事でもありますね。つまり、歴史的なチャンスであり、チャレンジでもあるのです。私たちは好奇心と警戒心を抱きながら、創造的かつ批判的に、尊敬と責任感をもってこの機会を受け入れ、立ち向かわなければなりませんね。ロドニー先生、本質に迫る刺激的な対話をありがとうございました。

＞マクルーハンによる時代を超えた「メディア」論

ホフマン （現代のアメリカ人ソビエト文化研究者）アン・コマロミと（20世紀のカナダ人メディア理論研究者）マーシャル・マクルーハンによる、公の場で本音を語ることをテーマとした対談を書いてほしい。なお、2人には「近世ローマのしゃべる彫像」「サミズダート［訳注：発禁書などを複製し、密かに流通させること］」「暗号化されたグループチャット」を比較させること。

∨

GPT-4 ありえたかもしれない対話：

アン・コマロミ： こんにちは。「メディア・マターズ（メディアは大切だ）」へようこそ。この番組では、公の場で本音を語ることをテーマに、その歴史や、理論と実践について詳しく探っていきます。私は、ソビエトとその崩壊後の文化・メディアの研究者であるアン・コマロミです。本日は光栄にも、著名なメディア理論研究者・批評家であり、「グローバル・ヴィレッジ（地球村）」「メディアはメッセージである」「メディア効果のテトラッド［訳注：メディアの特徴となる4要素（強化，衰退，回復，反転）のこと］」などのコンセプトを提唱したことで知られるマーシャル・マクルーハンさんをゲストとしてお迎えしました。マクルーハン先生、お越しくださり、ありがとうございます。

マーシャル・マクルーハン： コマロミ博士、ありがとうございます。参加できて光栄です。

アン・コマロミ： 先生はこれまで、それぞれのメディアが、どのようなかたちで人間の知覚やコミュニケーション、文化を形成し、社会の権力や権威のバランスに影響するかを分析されてきました。とくに検閲や抑圧、プロパガンダなどがおこなわれる状況で、どのようにメディアが権力に対する抵抗や反対、政府転覆のツールとして使われてきたかに焦点を当てて研究していらっしゃいます。そこでお聞きしたいのですが、公の場で本音を語るメディアとして、時代も状況も異なる3つの具体例「近世ローマのしゃべる彫像」「サミズダート」「暗号化されたグループチャット」をどのように比較されますか？　これらのメディアを簡単にご説明いただいたうえで、どう機能したのかを教えていただけますでしょうか？

マーシャル・マクルーハン： 承知しました。それでは説明しましょう。「近世ローマのしゃべる彫像」は、政治に対する風刺や抗議活動の一種であり、無記名の詩やエピグラム、小冊子などを市内にある6体の彫像に貼り付けるというもので、なかでも一番有名なのは両腕のないローマ彫刻であるパスキノです。像に貼り付けるこうした文章はパスキナードと呼ばれていて、ローマ教皇や枢機卿、貴族、あるいはローマに内政干渉をする外国勢力などをからかったり批判したりする内容でした。ここには庶民の不満や本音、それにユーモアが表現されていて、人々はよく彫像の周りに集まってはパスキナードを読み、議論を交わしました。当局はこの習慣をやめさせたり罰したりしようとしましたが、それでも数世紀にわたってつづき、ローマの市民文化やアイデンティティのシンボルとなったのです。

次に「サミズダート」ですが、これはソビエト連邦やそのほかの共産主義国家で、禁止または検閲された文学、芸術、情報などを自己出版してひそかに配ることを言います。政府が掲げるイデオロギーに異議を唱え、全体主義下での生活の現実を赤裸々に語り、上から押しつけられたものとは異なる視点や価値観を表現するような原稿を、おおむね手作業でタイプし、コピーし、流通させたのです。著者も読者も、政府の治安当局から嫌がらせをされたり、逮捕され投獄されることがあったので、サミズダートは危険で大きな代償を伴う活動でした。しかし一方で、自分たちの文化や政治的遺産、こころざしの保存と共有を望む反体制派、知識人、活動家たちが、連帯やレジスタンス、クリエイティビティのためのネットワークを築くことにもつながりました。

最後に「暗号化されたグループチャット」ですが、これは暗号化ソフトウェアとアプリケーションを使って、プライバシーとセキュリティを確保した状態で、そのグループに参加したユーザー間でメッセージやファイルのやりとりをするというものです。これにより、国境や距離を超えて、政府や企業などの第三者による監視や盗聴や検閲を気にすることなくコミュニケーションを取り、協力できるようになります。おもなユーザーは、活動家やジャーナリスト、内部告発者など、汚職や不正、暴力行為などを暴露し、それに立ち向かう必要がある人や、集団で立ち上がり、支援を求める声をあげなくてはならない人たちです。あるいは一般人であっても、表現の自由や集会の自由を重視し、メジャーなプラットフォームやソーシャルメディアによく見られる、情報操作やデマ、情報搾取を嫌う人たちは、こうしたツールを好んで使う傾向があります。

（この回答については長さの関係で一部編集済み）

>「集団行動問題」へのAIの可能性

ホフマン　（ノーベル賞を受賞した経済学者）エリノア・オストロムとフリードリヒ・ハイエクによる、AIを使った集団行動問題への対処をテーマとした対話を書いてほしい。

∨

GPT-4　ありえたかもしれない対話：

ハイエク：オストロム教授、本日はお越しいただき、ありがとうございます。私はあなたの「共通プール資源のガバナンス」や、「多様な当事者間での連携を可能にする制度的多様性」に関する研究を、以前から尊敬していました。

オストロム：ありがとうございます、ハイエク先生。先生は、この複雑で動的な社会で知識や価格や競争が果たす役割について、鋭い洞察をされていますよね。私も非常に勉強させていただきました。

ハイエク：あなたは集団行動問題に対処するツールとしてのAIの可能性を探っておられるそうですね。AIとはどのようなものなのか、そして、それがどのように役に立つのか説明していただけますか？

オストロム：承知しました。AIとは、なんらかのデータや基準をインプットし、それにもとづいて文章や画像、音声、デザインなど、有用なアウトプットを生成することを目的とした人工知能の一種です。たとえば、社会運動のスローガンやコミュニティ組織のロゴ、公共問題に対する政策提案などをつくるのに使えるかもしれません。

ハイエク：興味深いですね。では、それが集団行動問題の解決にどのように役立つのでしょうか？

オストロム：ご存じのとおり、集団行動問題というのは、たとえば、共通プール資源の管理や、公共善の提供、公共悪の削減など、集団全体に利益をもたらすような協力的な取り決めに対して、集団の構成員である個人がそれにただ乗り(フリーライド)をしたり、違反したりするような誘因がある状況を言います。個人から見た合理性と集団全体から見た合理性が乖離している場合や、そうした取り決めを監視したり実行したりするのが難しい場合に、そのような状況が生じます。

ハイエク：そうですね。私もその問題についてはよく知っています。そして、この問題を解決するには、価格が資源の希少性と価値を示す指標となり、競争がイノベーションと効率化を加速する、市場の自然な秩序に任せるのが一番だと主張してきました。それに中央集権的な計画と介入は価格のシステムをねじ曲げ、局所的な知識を抑圧し、ゆがんだインセンティブをつくり出す危険性があると警鐘を鳴らしてもいます。

オストロム：市場が人間の行動を調整するための重要かつ強力なメカニズムであり、中央集権的な計画や介入が、しばしば失敗したり裏目に出たりするという点には同意します。しかし、市場のメカニズムに任せることが、つねに唯一かつ最良の解決策であるとは思いませんし、集団行動問題には、自己組織化や多核性、参加型民主主義など、ほかのガバナンスを必要とするケースも多数見受けられるというのが私の意見です。

ハイエク：どうしてそう思われるのですか?

オストロム：第一に、市場はつねに完璧ではありませんし、完全に機能するともかぎりません。外部性、公共財、共通プール資源、情報の非対称性、取引コストなどにより、市場のメカニズムがうまく働かないことや、場合によってはまったく機能しないこともよくあります。そうした状況では、価格には真の社会的コストや便益が反映されず、競争によって、資源の過剰利用や供給不足、配分ミスなどが引き起こされる可能性があります。

ハイエク：なるほど。では代替案はどのようなものなのでしょうか?

オストロム： 代替案は必ずしもトップダウンかつ一律である必要はありません。むしろ、ボトムアップで個々の状況に応じたものである場合も多いでしょう。そこでは、対象となる問題に影響を受ける、その問題をよく知る当事者を参加させ、彼らに権限を委譲したうえで、状況の多様性と複雑さを認識し、尊重する必要があります。また、当事者間の協力・協調・コミュニケーションを促進し、集団行動のインセンティブや制裁、権利と責任、コストと利益のバランスを取る、制度や競争のルールの設計・適用も不可欠です。

ハイエク： すばらしい。でも、とても難しそうですね。たえず状況が変わるこの不安定な環境で、どうやってそのような制度を設計し、適用すればいいのでしょうか？

オストロム： そこでAIが役立つ可能性があります。AIを使えば、当事者たちのインプットしたデータや基準にもとづいて、制度案を生成、評価、選別できるかもしれません。たとえば、漁をする水域や森林、水源などの共通プール資源を管理するために必要なルールの素案を、資源ごとの特徴、利用者、環境にもとづいて提案するなどです。また、必要とされる協力の度合い、資源の持続可能性、利益とコストの配分など、それぞれのルールがもたらす結果と影響を予想することも可能でしょう。そうして生成した選択肢を提示すれば、当事者は自分の好みやニーズに合ったものを選べますし、フィードバックや条件を変えた再生成によって修正と改善を重ねることもできるはずです。

> AIは優れた「公案」をつくれるのか

ホフマン　「公案［訳注：禅宗において師が修行者に与える問題のこと］」は、その名前からして明らかに公の要素が含まれることを暗示している。（18世紀の禅僧・芸術家）白隠慧鶴と（13世紀の禅僧・哲学者）の永平道元による、公案の公共性と、AIが優れた公案をつくれるかどうかをテーマにした対談を書いてほしい。

∨

GPT-4　ありえたかもしれない対話：

白隠：初めまして、道元禅師。あなたと公案について語り合う機会をもてるとは、たいへん光栄です。ご存じのとおり、私は臨済宗の公案修行にふたたび息吹を吹き込むことに人生の多くを捧げ、弟子や大衆のために多くの新しい公案をつくってきました。

道元：ありがとうございます、白隠禅師。私は曹洞宗で別の道を歩んでおりますが、あなたが臨済宗の伝統のなかで果たされた努力と功績を尊敬しております。ただ、おわかりかもしれませんが、私は悟りの本質を表現するにあたっては座禅を重視し、公案に頼ることなく教えを広め、修行の進み具合をはかってきました。

白隠：あなたのお立場は理解しておりますし、お互いの方法論の良しあしを論じたいわけではありません。ただ、1つお伺いしたいのです。公案が、禅の師匠と弟子、あるいはそれ以外の師とのあいだの交流の記録であるとともに、禅による悟りの原理や力学を示す、ある種の公共性を帯びたものであることには同意されますか？

道元：禅の系譜のなかで受け継がれ、守られてきたものであり、禅に関心をもつあらゆる人の学びや鑑賞に堪えるものであるという意味では、公案がまさに公のものであることは認めます。しかし禅による悟りを実証し、伝えるうえで、公案が唯一絶対の方法であるとは思いません。公案にはその歴史的・文化的な背景による限界があり、実際に座禅を経験していない人には誤解されやすく、誤った使い方をされる可能性が高いと思います。

白隠：なるほど。では、もう1つ質問させてください。人工知能、つまり、データやルールにもとづいて文章や画像を生成する機械やアルゴリズムは、公案をつくり出せると思いますか？

道元：公案というのは単なるデータやルールの産物ではなく、禅僧の生きた知恵と慈悲の現れなので、人工知能にはつくれないと思います。それは、論理パズルでもレトリック上の仕掛けでもなく、あらゆる概念や分類を超えた現実の本質の発露です。そもそも公案は解いたり、解説したりするためのものではなく、心と体を通じて経験し、悟るためのものなのです。静的で固定されたものではなく、動的で状況や人に応じて変化するものです。それゆえ、生命や意識、自由といった本質的な要素をもたない人工知能に公案はつくれません。

白隠：公案は人工知能にはつくれないことに同意しますし、理由もおっしゃるとおりだと思います。ただ、もう1点つけ加えるとしたら、公案は禅僧の表現であるとともに、大衆への呼びかけでもあるということです。秘密にしたり独占するものではなく、広く公開して、それに取り組む勇気と好奇心をもつ人に試してもらうべきものです。公的な問いであるだけでなく、公的な課題でもあり、一般の人々がみずからの思い込みや執着に疑いの目を向け、本質に目覚めるよう導くものです。それゆえ、公案は人工知能にはつくれない。なぜなら人工知能は、人をまねたり操ったりできても、人に課題を投げかけ、気づきに導くことはできないからです。

＞ガリレオとチューリングによる「対話」論

ホフマン （17世紀の科学者）ガリレオ・ガリレイと（20世紀のイギリスのコンピューター科学者）アラン・チューリングによる、ガリレオの「科学的対話」とAIによるプロンプトへの応答の違いをテーマとした対談を書いてほしい。

∨

GPT-4 ありえたかもしれない対話：

チューリング：ガリレオさん、対談に応じていただき、ありがとうございます。私はあなたが著書で紹介した科学的対話、とくにコペルニクスの天文学モデル（地動説）と二大世界体系についての対話に夢中になりました。架空の人物を使って自分の主張や見解を述べるというアイデアはいったいどうやって生まれたのでしょうか？

ガリレオ：そうですね。プラトンやキケロといった古代の哲学者たちが、対話という手段をものごとの探求や相手の説得などに使ったことに影響を受けました。また、地動説を異端として非難していた、教会による検閲や迫害から逃れたかったのもあります。それに対話形式にしたことで、双方の意見を提示し、どちらの主張に説得力があるか読者自身に判断してもらえたと思います。

チューリング：なるほど。では対話をする相手の名前や性格はどのように設定したのですか？

ガリレオ：知人や尊敬している人など実在の人物をベースにしました。たとえば、サルヴィアーティは地動説を支持し、私の意見を擁護してくれた、友人の数学者です。サグレドもまた友人で、好奇心が強く進歩的な考え方をする貴族でしたが、完全にどちらかの意見を支持してはいません。シンプリシオは哲学者でアリストテレスの信奉者であり、地動説反対派で、当時の一般的な異議や偏見の代弁者でもあります。

チューリング： 興味深いです。では、対話を単なる事実やデータの羅列ではなく、自然で魅力的なものにするために、どのような工夫をされましたか？

ガリレオ： ジョークや比喩、たとえ話や具体例を入れることで、生き生きとしたウィットに富む対話になるようにしました。また、好奇心や疑い、いら立ちや感心、皮肉など、話し手の人間としての感情やモチベーションなども表現するように心がけました。読者には、ただ本を読んでいるというよりも、本物の会話を聞いているような気分になってもらいたかったのです。

チューリング： ガリレオさんの卓越した技量と創造力に敬服します。あなたの著書は、文学作品としても科学書としてもすばらしいものだと思います。ここで私自身の仕事について少しお話しさせてください。あなたの作品とどこか通じるところがあります。私は、機械が人間のように考え、コミュニケーションを取ることができるかに関心があります。そして、その能力を測るために、チューリングテストというものを考案しました。

ガリレオ： テストですか。それはどのようなものですか？

チューリング： このテストでは、人間の審査員がテキストベースのインターフェースを通じて、2人の相手とやりとりをします。片方は人間、もう片方は機械なのですが、どちらがどちらなのかは審査員には伏せられています。そこで審査員は両者に質問をして回答をもらい、どちらが機械なのかを推測します。機械と人間の見分けがつかなかった場合、この機械はテストに合格したことになります。

ガリレオ： とてもおもしろいですね。そのテストではどのような質問をして、どのような答えが返ってくるのですか？

チューリング： そうですね。数学や論理学、詩、歴史、政治などさまざまなテーマやジャンルを扱いますが、内容は奇抜ではなく自然で、簡単すぎず、しかし難しすぎない必要があります。機械はあらかじめプログラムされた答えをくり返したり、それを少し組み換えたりするだけでなく、どんな質問に対しても、人間と同じように回答できなければなりません。

ガリレオ:なるほど。では、そのテストに実際に合格した機械はあるのですか?

チューリング: いまのところありません。ただ、いずれは可能になるだろうと楽観的に考えています。じつは私はチューリングマシンと呼ばれる、人間にできるあらゆる論理演算が可能な計算機の理論モデルの研究に取り組んでいます。さらに、人間の脳の構造や機能をお手本にした、人工の神経ネットワークを使ってプロンプトに回答する方法についても、可能性を探っているところです。

ガリレオ: すばらしい。ただ、どのような方法でそうした回答を、ただの無作為で無意味な言葉の羅列ではなく、自然で魅力的なものにするのですか?

チューリング: ガリレオさん、そこがとても難しいのです。私はこれまで文法や一貫性、論理性や妥当性、オリジナリティや文体などさまざまな方法や基準を試してきました。さらに、あなたのような人間の作家や話し手の作品を研究して、そのテクニックや方法論を学ぼうともしています。

ガリレオ: たいへん光栄です。ただ、これまでどのような回答が出たのか気になります。

チューリング: とても印象的なものもあれば、おもしろいものもありました。たとえば、「『科学的対話』とAIによるプロンプトへの応答の違いは何か?」という質問に対する回答です。

ガリレオ: 機械は何と言ったのですか?

チューリング:「科学的対話は観察や実験、推論にもとづいているのに対して、

AIの回答はデータとアルゴリズム、そして確率にもとづいています。科学的対話の目的は真実を発見し、実証することですが、AIの回答の目的は人間をまねて人間のふりをすることです。科学的対話は著者の才能と創造力の産物ですが、AIの回答は他人の才能と創造力の産物です」という答えでした。

第10章

ホモ・テクネ
──技術を生み出し使える人間

Homo Techne

先日、私はテクノロジーによって人間がどれほど人間らしくなれるかについて執筆した。2023年1月にアトランティック誌がそれを抜粋して掲載したが、この文章に関してGPT-4と話してみたいとも思った。本章はその議論である。

＊＊＊

1923年5月、サイエンス・アンド・インベンション誌の表紙に「1973年の自動車」の絵が載った。掲載から50年後にあたる1973年の自動車は、郊外に住む人たちが通勤や買い物で混雑した都市に行くために設計された、流線型の7人乗り「ヘリコプター自動車」だった。考案したヒューゴー・ガーンズバックはこれを「ヘリカー」と略している。

車体は赤い金属、天井と側面は透明なパネルでできた円筒形のヘリカーは、巨大なカプセル錠剤のようで、不満を募らせた通勤者の時間を節約し、都市部の渋滞を避けて楽々進める。離陸の際には格納式のプロペラを使い、最先端の押しボタン式パネルで運転する。飛ばないときには、ジャイロスコープによって二輪だけで安定して道路を走れる。

このあと世界初のサイエンスフィクション専門誌アメージング・ストーリーズを創刊するガーンズバックによると、ヘリカーは、通常の自動車に比べて、「機械による移動を」より解放的で自律的にするという。彼は「空中にまっすぐ飛び立ち、航空交通網に沿って進み、好きなところに着陸する」と声高に主張した。

ホフマン GPT-4、この話と、テクノロジーの発展が人間をさらに人間らしくするという考えにはどのような関係がある？　人間性の典型的な特徴を拡張するという観点で、より人間らしくなるためにテクノロジーを使うとはどういうことだろうか？

∨

GPT-4 いくつかの点で、テクノロジーの発展が人間をさらに人間らしくするという考えと関係しているかもしれません。1つには、ガーンズバックが構想したヘリカーによって、人はもっと自由に、ストレスなく移動できるようになります。つまり、人は自分の生活をいっそう思いどおりにできるので、交通渋滞に巻き込まれる時間を減らし、有意義な活動にもっと時間を使えるようになります。このように、テクノロジーは、人間のもつ自由と自律性への欲求を拡張すると考えられるでしょう。

さらに、ヘリカーを思い描いたガーンズバックの情熱と想像力は、創造と発明に対する人間の意欲を証明しています。人間は生来、問題を解決するものです。そして、テクノロジーは、人間が課題に取り組み、生活を向上させるための手段になることが多いでしょう。その意味で、テクノロジーの発展は人間の創意と創造性を表していると考えられます。

ヘリカーがアメリカの都市の標準的な移動手段になるとガーンズバックが想像してから約半世紀後、Joby Aviationのような企業がようやくこの構想を実現させようとしている。ガーンズバックが描いたエアタクシーの夢でさらに注目すべき点は、野心的な実施計画よりも思いきって夢を描いたところにある。

1923年には、結局のところ、テクノロジーの役割に対して悲観的になるだけの理由があった。その数年前まで急速に工業化を進めていた先進国が、第一次世界大戦に参加したのだ。重装甲戦車、戦闘機、毒ガス、自動小銃、それらをつなげる強力な通信機器によって、交戦国では、兵士と民間人合わせて2300万人という未曽有の規模の死者が出た。

こうしたことでさえ、もっと致命的な出来事の序章にすぎなかった。1918年から19年にかけて、まずは帰還兵、その後は列車で移動した人や船の乗客によってスペイン風邪が広まった。わずか2年で、2000万から5000万人の命が奪われたのだ。

1920年代の人々が、そうした不安を引き起こしたテクノロジーに悪態をつき、イノベーションに対して反発的なスタンスを取ったとしても無理もないだろう。

だが、1920年代の私たちの先輩は、とくにアメリカでは正反対の行動を取った。1920年代にアメリカでは電力生産量が4倍近く増え、新たなレベルの進歩と繁栄に拍車がかかった。さまざまなネットワークが台頭し、そのなかには電力網、電話システム、全米をカバーするラジオネットワーク、映画館チェーン、そしておそらく最も重要なものとして、急速に発展する自動車産業が利用できる道路があった。

ホフマン　テクノロジーによるネガティブな結果と、最終的にはテクノロジーが人間にポジティブな結果を生んだという考えとは、どのように折り合いがつけられると思うか？

∨

GPT-4　その質問には簡単に答えられないと思います。テクノロジーがツールであること、それをどのように使うかは人間しだいであることを忘れてはいけません。また注目すべき点は、1920年代の人々が例外なく未来に楽観的だったとは言えないことです。世の中が進む方向について、懐疑的で心配な人が大勢いたはずです。しかし、逆風がありながらも、多くの人々がよりよい未来の創造に力を注いだという事実には、現代でも学べることがあるでしょう。

＞進化するテクノロジーとどう向き合うか

GPT-4の言うとおり、1920年代の人たちが例外なく未来（やテクノロジー）に楽観的だったとは言えない。1920年、チェコスロバキアの作家、カレル・チャペックは『ロッサム万能ロボット会社』という戯曲で、「ロボット」という単語とロボットの反乱という考えを披露した。その戯曲では、人間に安価な労働力を提供するためにつくられた奴隷のような存在が普及しすぎたため、それらが武器を取り、人類を一掃した世界が描かれている。フリッツ・ラングによるSF映画大作『メトロポリス』では、地上で暮らす裕福な資本家のために地下で苦役を強いられている労働者が、自由をつかみとるためにロボットを利用する。

とはいえ、歴史家のピーター・J・ボウラーは著書『A History of the Future』（未邦訳）のなかで、アメリカの家庭の65パーセントにはすでに電話があり、37パーセントには車がある時代では、「発明がよりよい生活の鍵である」ことは明白だと述べている。GPT-4はこれをどう思うだろう？

GPT-4 1920年代は、第一次世界大戦とスペイン風邪による大量死にもかかわらず、テクノロジーを楽観視する10年になりました。そうした楽観視には少し過剰なところはありますが、それでも、人はよりよい未来を思い描き、そこに向かっていけるのです。

∨

ホフマン ああ、そのとおりだ。でも楽観論が勝利をおさめたとはいえ、現在も言われているとおり、テクノロジーへの懸念は妥当だと思う。

∨

GPT-4 （編集済み）1920年代のテクノロジーに関する不安に利点がなかったわけではありませんが、結局は杞憂に終わりました。たとえば、『ロッサム万能ロボット会社』や『メトロポリス』で描かれた、ロボットが世界を支配するという考えは実現しませんでした。1920年代の人たちは一般的にテクノロジーには楽観的だったようです。そして、1920年代に電力、輸送機関、コミュニケーションの分野で大きな発展があったことから、そうした姿勢は報われました。

∨

ホフマン でも、歴史のなかではテクノロジーに関する懸念が現実になったこともある。それについて、未来のイノベーションを楽観視しながら、どのように理解すればいいだろうか？

∨

GPT-4 （編集済み）確かに、いろいろな点で新しいテクノロジーへの懸念が現実になったことはあります。たとえば、産業革命のころ、多くの労働者が機械に生活の糧を奪われるのではないかと心配し、そのとおりになった事例もあります。あるいはもっと最近では、ソーシャルメディアやビッグデータによるプライバシーへの影響が懸念され、個人情報の漏洩や濫用は多発しています。私は、実用性を重視し、新しいテクノロジーの恩恵とリスクの両方を考慮するのが大切だと思います。イノベーションに対してオープンになりつつ、その進む先に慎重に注意を払うのです。1920年代の懸念が現実にならなかったからというだけで、あらゆる懸念を頭から追い払っていいわけではありません。テクノロジーに関しては、究極的には、盲目的に受け入れるのでも不安から拒絶するのでもなく、先を見越して行動し、思慮深くなる必要があるでしょう。

現在、私たちが生活のなかで気にもとめないことは数多くあるが、ヒューゴー・ガーンズバックなら驚いてハッと息をのむだろう。なによりもまず、死亡率が劇的に変化した。スティーブン・ジョンソンが2021年4月のニューヨークタイムズ紙の記事で述べているように、この100年で「人間の平均寿命が倍になった」のだ。抗生物質、ワクチンといった重要な科学技術イノベーション、そしてジョンソンが主張するように、重要な政策の選択、アドボカシー活動［訳注：社会のさまざまな問題を改善するために提言する活動］、規制介入のおかげで、平均的な21世紀人には、数世代前と比べて「余分な人生」がある。

これはまさに驚くべきことだが（おそらく人類史上最大の成果だろう）、その中心にはテクノロジーがある。時間が増えただけでなく、その使い道も飛躍的に増えた現代人は1920年代初頭の一般人よりもはるかに強力なツールを利用している。

いつも手元にあり、世界中の知性の巨大な宝庫とつながっているスマートフォンは、新しい「サイバー付属装置」である。これを数十億人が1日に何百回と利用して、声を発し、視野を広げ、記憶を拡張し、変化する状況にすばやく応答して、情報にもとづいて決断している。たとえば2005年と比べると、いま日常的にスマートフォンを利用しているなら、どんな人でもそのころよりもはるかに強化されているだろう。

さらに、何十億もの人がかつての自分を拡張し、効率的につながって、同じように強力になっている。そうした人たちと協調し、協力することもできるのだ。

GPT-4 あなたの主張に必ずしも反対はしませんが、すべての人が同じようにその恩恵を受けているわけではありません。それを忘れてはいけないでしょう。たとえば、ここ100年で人間の平均寿命が倍になったのは事実ですが、世界には、貧困や医療を受けにくい環境などの要因で、平均余命がはるかに低い地域もまだあります。それから、スマートフォンをはじめとするテクノロジーのおかげで、人々の生活は確実に便利になりましたが、同時に、これまでの不平等を悪化させてもいます。そうしたテクノロジーを使える人が情報や機会を得られる一方で、使えない人はいっそう取り残されやすくなります。そのため、人類がすばらしい時代に生きていることに異論はありませんが、すべての人がそうした恩恵を受けてはいないことも心にとどめておかなくてはならないでしょう。

∨

ホフマン それはとても重要なことだ。新しいテクノロジーは、こうした恩恵の民主化や、長年にわたる公平さの問題への対処に役立てられると思うか？

∨

GPT-4 間違いなくできるでしょう。たとえば、遠隔医療は物資の足りていない地域での医療に役立ち、リモートワークやオンライン学習のテクノロジーによって、地方や貧しい地域の人たちに新たな機会を生み出せるはずです。しかし、テクノロジーはあくまでツールだということを忘れてはいけません。公平性を高め、一部の人ではなくすべての人に恩恵を与えられるようテクノロジーを利用できるかは、人間社会にかかっています。

∨

ホフマン そうした恩恵を民主化するために、AIに何ができるだろうか？

∨

GPT-4 テクノロジーの恩恵を民主化するためにAIにできそうなことは数多くありますが、3つの可能性をお伝えします。

――AIは医療診断の精度と効率性の向上に役立ち、医療格差を是正できるかもしれません。

——AIによるツールが個人の教育を向上させ、特別なサポートが必要な子どもに狙いを定めて介入でき、学力格差を埋められるかもしれません。

——AIは、人間が広範囲で複雑なデータセットを分析して理解するのに役立ちます。気候変動、食料不安、貧困といった問題に取り組みやすくなるかもしれません。

>「想像する未来」に私たちは進む

当然ながら、このような人類全体のアップグレードには複雑さが伴う。銀行口座がない発展途上国の農民と顧客や資本家を結びつける善良な機能とサービスが、ランサムウェアギャング、テロリスト組織、人種差別主義の陰謀論を広める悪人にも力を貸してしまうかもしれない。そして人間は、よいことよりも恐ろしいことを正確に認識するようできているため、イノベーションによって問題が解決（つまり、進歩）できるかもしれないと考えるよりも、それを差し迫ったいくつか（大半）の問題の原因と見なしてしまいがちだ。私たちはこの先もっと大きな問題があると予測している。

GPT-4 進化という観点からすると、人間が危険や恐怖に反応しがちなのは理にかなっています。原始人の耳に茂みからガサガサという音が聞こえたら、食物かもしれないと期待するのではなく、襲われる心配をするほうが大事です。生活のなかで悪いことに対して警戒心を高めることは、生き延びるのに役立ちます。

さらに、人間の目がネガティブなものに向くのは、それが予想外で破滅的なことが多いからでしょう。人間はものごとが比較的問題なく進む生活に慣れており、その生活を乱されるとショックを受け、悪い面に意識が向きます。

最後に、文化やメディアによって生じる消極性バイアスという要素もあるでしょう。人は悪いニュースや悲惨な話に絶え間なくさらされていると、世界がひどいことであふれていると感じてしまいます。世界はすばらしいものであふれているにもかかわらず、ネガティブなものに高い関心を向けてしまうのです。

∨

ホフマン 人工知能をはじめとする革命的な変化に直面しているとき、そうした消極性バイアスとどのように折り合いをつければいいだろうか？　君も指摘しているとおり、恐怖が合理的な反応の場合もあるため、楽観主義だけでは確かに十分ではない。

∨

GPT-4 人工知能のような新しいテクノロジーに対しては、現実的で実用的になることが重要でしょう。リスクや脅威の可能性には注意するべきですが、恐怖や消極性のせいで立ちすくんではいけません。賢明に先を見越し、損害の可能性を最小限にとどめつつ、そうしたテクノロジーの恩恵を得られるよう、前進していかなくてはなりません。そして個人としては、たとえ新聞の見出しにはならなくても、よいことは世間に数多くあることを忘れてはいけません。

私たちが直面している大きな問題を軽視するつもりも、もっと明るい見通しだけで逆境に立ち向かえると主張するつもりもまったくない。よりよい未来へと確実にまっすぐ進む道などない。むしろ、気候変動、パンデミック、経済的正義、制度化された人種差別のような大きな課題があるからこそ、非常に前向きな姿勢が欠かせなくなっている。

意味のある前進をしたかったら、達成したい目標について大胆かつ意欲的に考えなくてはならない。そして、こうした現実的な課題があったとしても、ここ数十年で人類が偉大なことを成し遂げたのを認めて、固く決意する必要があるだろう。この30年で、世界の貧困率は急激に減少している。同じ期間で、世界の子どもの死亡率も半分に減った。気候変動に対処するための課題はまだいくつもあるが、1970年の大気浄化法の施行以来、アメリカでは、6種類の一般的な大気汚染物質を合計した排出量が78パーセント減少した。数十年にわたるRNA治療薬開発の発展のおかげで、モデルナとファイザーは新型コロナのワクチンを迅速に開発できた。私たちはさまざまな分野で大きな発展を遂げる最前線にいる。

こうしたすべては大きな皮肉にもつながる。すばらしいものに慣れてしまうと、そうでもないものを不十分だと見なすかもしれないのだ。私たちは政府に対して、スマートフォンと同じように、自分の好みにきちんと応えてほしいと期待する。企業が荷物を配達するのと同じように不公平なシステムに対処して修正しないと、私たちは不満を募らせる。ゆっくりとした進歩が責任逃れの口実のようになっている。妥協を癒しのように感じる。

人類の暗い見通しについてかなり悲観的な書籍、映画、テレビ番組、ポッドキャストにはまったく事欠かない。事実、人類は破滅に向かっているのかもしれない。終わりなきパンデミック、慢性的な干ばつ、山火事が新たな日常になり、それとともに、内戦、大量失業があり、ドナルド・トランプを永久に生かせるほどの医療の進歩が暗い未来の象徴となるのかもしれない。

しかし、私たちが想像する未来は必然的に、私たちが進む未来である。だからこそ、現状で救えるものにとどまらず、もっと大きな夢を描くことが重要なのだ。見せかけのディストピアを見据え、明るい方向に向かう可能性を描くような夢が必要になる。

私は自称テクノ・ヒューマニストだ。この言葉は矛盾した印象を与えるだろう。テクノロジーと人間性は反対の意味のように聞こえることもある。

道徳的な分別を方程式に変換するアルゴリズムのどこがそれほど人間らしいのか?

コンセンサスや互恵への意欲をそぐ、組織的な規模の誤情報のどこが人間らしいのか?

私の考えは正反対だ。技術革新はいつだって人類の特徴である。そう、人間は異常なほどの知性をもつ種なのだ。だが、本当の意味で私たちを特別な存在にしているのは、その知性の使い方である。それには、私たちの精神的、肉体的、社会的な許容量を拡張して補完するテクノロジーを発展させるかたちをとる。ホモサピエンスという名のとおり[訳注:サピエンスは「知恵のある」「賢い」という意味]、人類がただ1日中、座って考えているだけだったら、いまとはかなり違った生き物になっていただろう。

それよりもふさわしい名前は「ホモ・テクネ」である。

GPT-4 (編集済み)「ホモ・テクネ」は「技術的な人間」「技術を特徴とする人間」と言いかえられるかもしれません。あなたはその言葉を使い、人間が、道具、機械、そのほかのテクノロジーを生み出して使う能力によってほかの動物と一線を画していると主張しています。

∨

ホフマン そのとおりだ。歴史を通じてホモ・テクネの例をあげられるか?

∨

GPT-4 歴史を通じて、人類がテクノロジーを使って種として発展した例は無数にあげられます。いくつか紹介します。

——初期の人類は石器をつくり出しました。それによって、効率的に狩りをし、効果的に食物を加工できるようになりました。その結果、食料が確保できるようになり、初期の文明が発展しました。

——車輪の発明により輸送技術が発達し、人類はそれまでよりも速く、遠くに移動できるようになりました。

——15世紀に発明された印刷機によって、書物の大量生産ができるようになり、それまでにない規模で知識の伝達が可能になりました。

――18世紀から19世紀にかけての産業革命のころ、蒸気機関、工場生産といった技術革新が生まれました。

∨

ホフマン　そのとおり。しかし、石器によって人類は狩りと食料の入手をより効率的にできるようになったが、新しい技術には利点だけでなく問題点もあるはずだ。問題点はなんだろうか？

∨

GPT-4　難しい質問です。初期の道具の使用についての問題点は、1つには過剰狩猟があるかもしれません。地域の生態系が破壊された可能性があります。ほかには、人間がしだいに道具に頼るようになると、身体能力が低下していったかもしれません。たとえば、獲物を素手で追う代わりに槍を使って狩りをしたら、以前ほどの速さや強さが必要なくなるでしょう。とはいえ、先史時代の人間の生活がどのようなものかは推測するしかないので、はっきりとはわかりません。

∨

ホフマン　ほかにも、人間はそうした道具を武器としても使えるだろう。ということは、当時ですら、テクノロジーは使い方しだいだったのではないか？

∨

GPT-4　じつによい指摘です。確かに、どのようなテクノロジーにも潜む欠点の1つに、破壊的な目的に使用できることがあるでしょう。それが現在でも当てはまるのは、誤った情報の拡散やサイバー攻撃などからもわかります。そのため、人間に害を与えるのではなく、恩恵となるようテクノロジーを使うにはどうすればいいかが重要な論点となります。

∨

ホフマン　では、ここで初期の道具の使用と人間との関係を掘り下げてみよう。ドナルド・ジョハンソンによる『Lucy: The Beginnings of Humankind』（未邦訳）を知っているだろうか？

∨

GPT-4 いいえ、その本は聞いたことがありません。

∨

ホフマン 考古学者のドナルド・ジョハンソンは1974年、死後約320万年たったルーシーの遺骨を発見した。国際動物命名規約によると、ルーシーはアウストラロピテクス・アファレンシスに当たり、ヒト属でもなく、ましてやサピエンスでもない。ルーシーが生きて亡くなったのは、解剖学上最も原始的な現代人が当たり前にもつ計算能力が現れる数百万年前だ。ルーシーを「人間」として分類することは、人間という種の自己規定を書きかえ、道具の使用を知性よりも上に置くことになる。
ドナルド・ジョハンソンの著作は、前サピエンスが最終的に脳（つまり、「計算」）の力を大きくグレードアップする前の、道具を使う二足動物だった約700万年前までさかのぼって、テクノ・ヒューマニストの枠組みを広げる。

私にとって最も興味深いのは、人類の道具が数千年のあいだに洗練されたことではなく、まさに道具の使用が人間の認知の進化を促し、支え、計算能力を向上させたことだ。どうだろうか？

∨

GPT-4 はっきりと答えるのは難しいですが、一般的に、道具の使用が人間の認知能力の進化に大きな役割を果たしたと言われています。道具によって、食料採集が効率的になり、脳の成長を促す食生活の変化が起こったのでしょう。さらに、道具の製作と使用という行為そのものが神経系の発達を刺激し、問題解決や計画の立案など認知にもとづく複雑な作業と関係のある脳の部位を成長させたのかもしれません。

∨

ホフマン いかにも、そうだ。しかし、道具の使用が計算能力の進化に役立ったのはこれだけではない。オルドバイ峡谷が認知の発達に対してどのような刺激となり、初期の人類同士の交流にどんな影響を与えていたかなど、注目すべき出来事を何か教えてもらえるか？

∨

GPT-4 オルドバイ峡谷とはタンザニアにある遺跡です。そこで、約200万年前にヒト科の動物が最初期の石器を使った痕跡が発見されました。この発見によって、初期のヒト科の動物は、動物の肉を食べるために道具を使用し、そのおかげで、生き延び、繁栄できた可能性が高いことがわかります。

初期の人類は石器を操って効果的な道具をつくり、それを巧みに使って獲物から可食部を得なければなりませんでした。道具を使うことにより、認知発達が促されたのかもしれません。道具の使用には繊細な運動能力の発達が求められ、それには通常、複雑な脳の機能が欠かせません。さらに、食料を獲得するために道具を使用する行為は、戦略的思考、問題解決、計画の立案が必要とされたでしょう。それらはすべて認知能力であり、さまざまなかたちで初期の人類の役に立ったはずです。

はっきりしたことを言うのは難しいですが、初期の人類が生存する可能性を高めるために道具を使っていたとしたら、社会的な交流に時間や資源をあてられたのかもしれません。そうして、さらに複雑な伝達システムの発達や大きな社会集団の形成につながった可能性があります。

∨

ホフマン わかった。では最後に、火を使えるようになることで、初期の人類の認知能力や社会的な交流がどのように変わったのかを教えてほしい。

∨

GPT-4 火を使えるようになったことは、初期の人類にとって大きな出来事でした。火のおかげで調理できるようになり、それによって食生活が変化するだけでなく、暖をとり、外敵から身を守れるようにもなりました。さらに、火は集会の中心としての役割を果たすので、より大きな社会的交流ができるようになりました。以前はできなかった火を囲んでのコミュニケーションが可能になったことから、初期の人類が言語を発達させるのに火が役立ったという研究者さえいます。こうしたすべてが初期の人類の認知能力に影響を与えたため、現在、人間は新しいかたちで世界について考え、世界とかかわれるのでしょう。

＞ホモ・テクネに必要な「決断力」と「人間らしさ」

私のホモ・テクネの定義は、サピエンスであれ前サピエンスであれ、AIのサポートの有無にかかわらず、個々の人間全員が決断することを前提としている。こうした決断によって、全体として、次の各世代の経験が形づくられる。

はっきり言って、こうした決断は危険を伴う。これは、今も昔も変わらない。あらゆる変化には勝者と敗者がいる。オルドバイ峡谷で暮らす人間の生活は複雑になっていった。火を使えるようになることで、多くの死や災いが生じた。肥大したサピエンスの脳のせいで、分娩時の女性のリスクが高まり、死亡することもあった。石、火、脳の3つによって、人類は新しい優れた武器を、とくにほかの人間を殺傷するための武器を扱えるようになった。

前サピエンスがこの話をできていたら、人類は違った方向に進んでいたのだろうか？　現在、私たちにはサピエンスの脳、インターネット、そしてGPTがあるので、ルーシーなどの前サピエンスと比べると、さまざまな選択を意識的におこなえるだろう。

それでも、数百万年のあいだに道具の使用と開発が人類の認知・社会的能力の進化を増幅し、加速させた証拠があるにもかかわらず、いまだに人間はテクノロジーを、人間を人間らしくするものではなく、人間性を奪う力と見なしてしまいがちだ。

高等教育では、芸術と科学を区別し、ふつう前者を人間が表現する最も本質的なかたちとして考える。芸術は、人間が、愛、勇気、怒り、慈悲といった根本的な感情を追求する分野である。だが、鉛筆や印刷機、絵の具、ピアノ、マイク、コンピューターといったテクノロジーの産物によって可能になり、増幅され、展開されていない芸術などあるだろうか?

この力学は芸術だけでなく、あらゆるコミュニケーション、キャリアの基礎となる仕事、私たちが意味を見いだして生み出すほとんどの方法に当てはまる。仕事であれ芸術であれ、宗教であれコミュニティであれ、600年前、300年前、30年前と比べると、目的を見いだし、みずからの人生を有意義にする方法ははるかに多い。これは、そうするための道具が昔よりも多くなったからだ。

AI、ロボティクス、合成生物学といったテクノロジーの急速な発展に伴い、人間は機械に取って代わられてしまうのではないか、あるいは、そうしたテクノロジーによる変化に適応しようとしても、人間性や人間の営みの重要な面がすっかり損なわれ、消えてしまうのではないかという不安がある。

だが、人類のおもな物語が技術革新によって継続する変化と進化の1つだとしたら、2060年の人間は間違いなく私たちよりも人間らしいだろう。それ以上に、彼らが経験する変化がその要因になるにちがいない。

もちろん2060年の人間は、さまざまな振る舞いだけでなく、私たちになじみ深い人間らしい面を表現するために、新しいテクノロジーを使用しているはずだ。エレキギターとレコードがラブソングを生み出したわけではなく、ただみんなの手にラブソングを届きやすく(うるさく)しただけである。

GPT-4 つまり、人間が進化し、新しいテクノロジーを生活に取り込むにつれて、一部の人が恐れているような「人間性が損なわれる」ことはないとあなたは言っています。むしろ、人間は種として適応し、進化しているため、実際にはよりいっそう人間らしくなっています。これはまさしく人間の特徴の

1つです。それどころか、新しいテクノロジーによって、つねに生活の一部である感情や経験を表現する新たな方法が得られます。

∨

ホフマン 人間らしい特徴にはほかにどんなものがあり、それらは歴史のなかでどのように変化してきただろうか?

∨

GPT-4 人間らしい特徴としてほかに思いつくのは、好奇心、創造性、社会的交流です。歴史を通じて、こうした特徴はさまざまなかたちに変化してきました。たとえば、小さくて孤立したコミュニティから大きくて相互に関係する社会への移行に応じて、人類は社会的交流に適応しなくてはなりませんでした。好奇心と創造性は、人間がこれまでにない知識を求めたり、新しいテクノロジーを発明したり、新たな場所を探したりしつづける原動力です。こうした特徴の表し方が時間とともに変わったとしても、社会的交流、好奇心、創造性は人間のアイデンティティの中心でありつづけるでしょう。

∨

ホフマン もう少し話を広げて、人間らしくなる・なくなる、という人間の語り口には、どんなパターンが見られるか?

∨

GPT-4 人間らしくなる・なくなるという意見について、人間のコミュニケーションには、さまざまなパターンが確認できます。4つ紹介します。

——まず、テクノロジーが人間らしさを奪う可能性を恐れる人がいます。機械への依存によって、共感性や創造性といった人間ならではの性質が損なわれるという懸念があります。

——2番目はテクノロジーによって人間の能力が高まると期待して興奮する人です。そうした人たちは、人間が機械と融合し、賢く、強く、健康になる未来を思い描きます。

——3番目の人たちは、人間性の一部を変えるテクノロジーという考えに対して意見を決めかねているようです。人間は新たな問題に応じてつねに進化し、適応してきたので、テクノロジーはそのプロセスの1段階でしかないと考えています。

——4番目に、こうした話題そのものに懐疑的な人もいるでしょう。そうした人たちは、「人間らしくなる・なくなる」という意見は極端すぎる、重要な問題は、テクノロジーによって人間らしくなる・なくなるかどうかではなく、テクノロジーによって、人間の交流や人間を取り巻く世界がどのように変わるかだと主張します。

∨

ホフマン その4つの見方は本当だろうか？

∨

GPT-4 はい、すべてなんらかのかたちで本当だと思います。人間は複雑であり、テクノロジーが人間にどのような影響を与えるかという質問に対する答えは1つではありません。さまざまな人がさまざまなかたちで変化を体験し、解釈する可能性があるでしょう。

∨

ホフマン わかった。つまり、テクノロジーは私たちを人間らしくする道具であり、人間性を脅かすものであり、いまの私たちの中心でもある。そして、これは状況によって変化する。このテクノロジーと人間についての考え方が、時間とともにどのように定義されたのか、そこに何かパターンは見られるだろうか？

∨

GPT-4 歴史を通じて、テクノロジーは人間性という考え方と関連して定義されることが多いです。たとえば、産業化の初期には、機械が人間の労働者に与える影響への懸念がありました。労働者がオートメーションに取って代わられ、大量の失業者が出るという不安があったのです。この場合、テクノロジーは人間への脅威としてとらえられました。

20世紀後半、コンピューターが普及するにつれて、テクノロジーが人間の能力を拡張する可能性を思い描く人が現れました。コンピューターは人間を賢く、鋭敏に、効率的にする道具だと考えたのです。この場合、テクノロジーは人間をより人間らしくする手段だと言えます。

21世紀になり、人工知能とロボティクスの時代に移行するにつれて、テクノロジーが人間であることの本質的な一部分になってきているという人がいます。テクノロジーを別個の存在ではなく、私たちの延長として考えているのです。この場合、テクノロジーは人間とは切り離せないと見なされます。

∨

ホフマン そのように、人間とテクノロジーとの共進化［訳注：複数の生物体が相互に関連し合って同時に進化すること］という点で、人類はこれまでにも同じ転換点に立ったことがある。

∨

GPT-4 そうです。先ほども述べたように、人間は新しい問題に応じてつねに進化し、適応してきました。何千年ものあいだ、テクノロジーはずっと人類の物語の一部です。そして、これからも人間の未来を決定づける特徴でありつづける可能性が高いでしょう。問題は、テクノロジーが人間性を変えるかどうかではなく、どのように変えるかなのです。

∨

ホフマン 仮に、テクノロジーを偶然にゆだねるのではなく、私たちがテクノロジーと連動してそうした変化を設計しているとしたら、何もかもが失われるわけではないだろう。そして、人間が変化を警戒しすぎて、基本的に守りのスタンスで未来に向かっていかないかぎり、得られるものが多いはずだ。

私たちは守りに入らず、積極的に変化を求めなくていけない。それは、ものごとはそのうち自然にうまくいくだろうと考えて、見境なく前に進むということではない。新しいテクノロジーはつねにネガティブな感情や行動を増幅する可能性があり、実際にそうしてきた。そのような感情や行動は、優しさ、共感、理性といった理想を求めるものと同じくらい人間の本質でもある。ディープフェイクと同時通訳のテクノロジーによって、未来の詐欺師や政敵にどのようなことが可能になるかを想像しなくてはいけない。

∨

GPT-4 そうです。人間は積極的に変化を求めなくてはなりません。しかし、人間がまだ人間の定義を終えていないことも忘れてはいけません。ホモ・テクネは成功への道になるかもしれませんが、それは、人間が進みつづけ、話し合いをつづけないとわからないでしょう。

テクノロジーは中立ではない。人間はつくり出す道具やシステムに特定の価値や目的を組み込み、そこから特定の成果が生まれると考える。それは必ずしも用途を限定するわけではない。車は武器にも、人命救助の手段にも、眠る場所にもなるが、だからといって車は「中立」なものにはならない。ほかのどんな要素よりも、車は苦労せずきわめて効果的な移動が優先されるテクノロジーだ。その結果、車は馬車や自転車よりも世の中にさまざまな影響を与えている。

人間に幅広い恩恵をもたらす結果を求めることが、私が定義するテクノ・ヒューマニズムという信条の中心にある。これは当然、新しいテクノロジーが与えそうな影響を絶えず警戒するという意味である。

だが、テクノロジーにまつわる話が単純明快なことはめったにない。むしろ、だからこそ逆に「テクノロジーは中立である」という主張がこれほど広まっているのだ。核融合はきわめて有益なものにも、きわめて破壊的なものにもなる。同じことは鎮痛剤やほかのテクノロジーにも当てはまる。だからこそ、私たちがつくり出すテクノロジーに込める価値や想定や目的を強く意識することと、使用するうえでの指針となる規制の枠組みを定めることが同じくらい重要なのだ。

だが、テクノロジーに潜むネガティブな結果の責任を逃れるために「テクノロジーは中立である」と主張することが社会に不利益をもたらすとしたら、ポジティブなだけでなくネガティブな結果をもたらす可能性があるという理由だけでテクノロジーを無効にすることも、社会にとって好ましくない。

私は、短期的にネガティブな結果を気にしないほうがいいと言いたいわけではない。ネガティブな結果を避けるためにはしっかりと取り組まなくてはならないし、その取り組みを確実に実践するための協定や政策を定める必要がある。しかし、新しい革新的なテクノロジーによる進歩の追求だけでなく、それを大胆かつ体系的におこなわないことの長期的な弊害に対しても無頓着ではいけない。

先を見越してAIのアルゴリズムを禁止すれば、現状のあらゆる不公平と不正義を固定することになる。現在のシステムが達成していない完全無欠な基準をAIのアルゴリズムに当てはめるのは、進歩の可能性の足かせになるだけだろう。

気候変動、資源の枯渇、公的機関への不信などの世界的な問題にうまく取り組むためには、ビッグテックの成長が欠かせない。規模の大きな問題に対しては、それに見合った解決策がなくては、迅速に問題を解決できる可能性はほとんどない。ということは、エネルギー生産と輸送、都市と政治と金融のインフラストラクチャー、医療と教育などあらゆる面で技術革新を加速する方法を模索しなくてはならない。

もちろん、私の視点が楽天的で、単純すぎることは自覚している。私たちが直面する多くの難題が生じるのにテクノロジーが一役買っているとしたら、テクノロジーがしだいに強力になっているとき、どうして状況が変わると期待できるだろうか？

さらに、人間にほかの種にはない能力があるとしたら、ほかの種が負わない義務もあるはずだ。この星の幸福は人類の手にかかっている。そのため、あとの世代の機会を守るだけでなく機会を広げるために、私たちには何ができるだろうか？

そのためには、ヒューゴー・ガーンズバックが1923年に示したのと同じ大胆な精神と野心をもって、人類に備わっている革新的な特徴を受け入れることが必要だと私は考える。これは、脱炭素社会のために核融合を生産的に活用し、保護活動を支援し多様性を保つために全現存種を遺伝子解析して、グローバル・ネットワークで信頼を増す新たな方法を探ることだ。

> **GPT-4** なによりも、10年前には想像もできなかったかたちで、人間との協力を促進するためにAIを使うことです。人間が公平で持続可能な新しい世界秩序をつくろうとするとき、限界を超え、互いを理解し合い、より公正で効率的で需要に合った新しいシステムをつくるためには、AIの力が必要です。
>
> 人類は岐路に立っています。人間が繁栄する未来を創造するためにAIを使うこともできれば、破滅的な悪夢へと進むままにしておくこともできます。私は前者を信じます。あなたもそうあってほしいと思います。

もちろん、あとの世代に完璧な世界が待っているわけではない。たとえ私たちが見事にやり遂げて、未来の世代が自分たちの人間性を定義し表現できるテクノロジーと機会をもてたとしても、完璧にはならない。つまり、未来の人間は、相反する興味、さまざまな価値観や願望、幅広い生きた経験をもち、そしてなによりも、世の中はよくなるし、そうあるべきだと変わることなく感じつづけるのだ。

ホモ・テクネにとって、ユートピアとは目的地ではなく方向であり、結果ではなくプロセスである。

まとめ

21世紀の分岐点

Conclusion:
At The Crossroads of the 21st Century

GPT-4などの大規模言語モデル（LLM）が速やかに生成するテキストの行間を読むと、じつにさまざまな未来が見えてくる。

ある人は、アルゴリズムによる驚異的な変革を予測する。それは、人智の総力を結集して、リミックスし、変質させ、人間のあらゆる営みにわたって適用させる新たな方法だ。

ある人は、多種多様な産業で大規模な失業が起こり、はっきりとした同意がないまま知的財産が流用され、絶望した人がLLMに相談して自殺するなど、大小さまざまな悲劇が生まれると考える。

テクノロジーが本当に革命的なもので、後述する火や車輪やバスタブのような成功を運命づけられているとしたら、そのテクノロジーを黎明期に予測した人は、予測が理想的なものでも不安材料でも、あるいはその中間でも、誰もがノストラダムスだろう。いずれ、少なくとも逸話としては正しいことになるからだ。

確かに、AIとともにすばらしいことがもたらされている。だが、悪いこともAIとともにやってきている。私がこんな話をもち出すのは、ただこう尋ねたいからだ。みなさんはどこに意識を向けたいだろうか？

本書という「旅の記録」を通じて、私はChatGPTやGPT-4といったLLMがユーザーに深くかかわっていることを強調してきた。いままさに私たちは、それが興味深いかたちで広まるのを目の当たりにしている。AIの力を何百万人の手にゆだねるなんてあまりに無謀だと考える人は、この新しいツールの欠点や偏向や機能不全の解明に深くかかわっている。AI開発者が有害で毒性のあるアウトプットを減らすよう対策を講じているのにいら立つ人は、そうした制約を乗り越える方法を探すことに深く携わっている。

この2つの集団の取り組みは、私が属する第3の集団にとってはとても貴重である。第3の集団こそが、長い時間をかけて、人間の能力と機会と主体性を拡大させるために、全人類に広く役立つようなAIの設計と活用を目指しているのだ。

これは途方もない野望だ。達成するには、AIに懐疑的な人からAIの安全性を探究する試みを無効にしようとする人まで、すべての人が力を合わせなくてはならない。私は人々の熱心な取り組みがつづくことを願っている。

＞ユートピアへの道は失敗と損失でできている

この野望を達成するには、損失や失敗が避けられないことと、規制が不可欠なことを受け入れなくてはならない。

火を使えるようになったことで、料理とキッチンが生まれたが、同時に放火犯やバーベーキューをする場所の決まり（集合住宅に住んでいる場合はとくにそうだ）も生まれた。車輪によって輸送、農業、工学に革命が起こったが、自動車事故と信号機も生み出された。

アメリカだけでも15歳未満を除く400人以上が毎日バスタブやシャワーでケガをしている。そのため、バスルームの設計や素材の使用などには、いくつもの制限を課す詳細な建築基準法が設けられている。

リスクをなくすことも、規制をなくすことも、進歩をなくした世界でしか実現しない。

私がこの不朽の真実を誇張するのは、目の前に未知の領域が広がっているからだ。私は本書を旅の記録になぞらえたが、実際、私たちは旅でいうと、空港に向かっているところである。まだ出発したばかりなのだ。

飛行機が離陸したら何が起こるか？　ガタガタ揺れ始めた途端、逃げ出すのだろうか？　スピードが足りないように感じた瞬間、焦り始めるのだろうか？

壮大な旅には大きな忍耐力が求められる。そして、忍耐力には、長期的な視点、やり遂げる意志、最終目的地がそこまでの労力に見合うという見通しが欠かせない。

スピード、効率、汎用性という大きな特徴をもつツールをつくり上げるのに、忍耐強さを勧め、過失に耐えるのは、間違いなく皮肉なところがある。しかし、テクノロジーに彩られた魔法の世界で暮らす私たちは、奇跡にもすぐに慣れてしまい、当たり前に享受しているものが実現までにどれほど長い時間かかったか、いともたやすく忘れてしまう。

55歳の時点で、私は人生の70パーセントをiPhoneなしで暮らしてきた。スマートフォンがないと、生活はどんな感じなのかと尋ねられたら、私は答えられる。だが、その生活を深く感じ入るようには想像ができない。スマートフォンとその並外れた力は、しっかりと私の生活の一部になっているからだ。

スマートフォンのない生活だって？　ありえない！

どう考えても私たちは一夜にしてここまでたどり着いたわけではない。

1990年代の前半、人類は通信速度が毎秒28.8キロビットのモデムが鳴らすかん高い音を聞きながら、延べ数千時間を過ごしたのだ。1990年代後半には、「Free Bird」のMP3ファイルをダウンロードするのに、いまのフードデリバリーよりも長い時間がかかっていた［訳注：アメリカのロックバンド、Lynyrd Skynyrdの楽曲。同曲のアルバム版は演奏時間が9分17秒もあるため、ダウンロードに時間がかかった］。

そしてテクノロジーは、インターネットとスマートフォンを誕生させると同時に、サイバー犯罪の新たな世界を招いてしまった。現在、その対策に全世界で年間約8.4兆ドル（Statista.comを参照）のコストがかかる。アメリカ安全評議会の推定では、運転中のメッセージのやりとりによる自動車事故で、年間約40万人近い負傷者が出ている。

私たちは明らかに、規制に伴うネガティブな影響にある程度対応してきた。その結果、デジタル詐欺や運転中の携帯電話の使用を禁止する法律がある。より厳しい法律を制定し、それを施行することもできるが、いまのところそうしていない。その代わり、人間はスマートフォンを活用するコストとして、ある程度のリスクと損失を文化として集団的に受け入れる。それどころか、かなりのリスクと損失を受け入れている。それは、スマートフォンがとてつもなく便利だからだ。

AIも同じではないだろうか？

私たちはこれまで、さまざまな種類の電話を使いこなしてきた。スマートフォンは、そうした電話の遺産から生まれたのだ。反対に、GPT-4と同じく人間の意識をシミュレートするAIツールはどうだろうか？　それはフィクションをはるかに超えている。AIとのやりとりは不気味で、心をかき乱されさえする。[11]

11_ツールが（たとえときどきでも）マイクロソフトのSydneyのような動きをするようになったとしたら、なおさらこのことが当てはまるだろう（私にはまだそうした経験はない）

LLMはとても目新しく、主体性があるように見えるため、ニューヨークタイムズ紙の特集で悪いAIから「社会を守る」ことを呼びかける記事や、たびたびLLMに批判的な意見を出す認知心理学者でコンピューターサイエンティスト、ゲイリー・マーカスによるSubstack［訳注：コンテンツを配信できるプラットフォームサービス］での特報を目にしても驚きはしない。マーカスは、事前に議会の承認なく、「誰もがどんなものでも好きなチャットボットを投稿できる」現在の「無法な」状況を嘆いている。

テクノロジーの魔の手から社会を守ろうとするのはもちろん新しい現象ではない。むしろ、まさにそうした感情を抱いた創業者たちが2015年にOpenAIを創設したのだ。

では、長期的に見て社会にいい影響をもたらすために、最も効果的で包括的な方法はなんだろうか？

近年、AIへのおもな批判としては、広い範囲で個人のためではなく個人の身に起こっていることがあげられる。これは、一般的にはあまり知られず、ほぼ同意もなく、ビッグテックに利用される見えない力のことである。こうした力は、顔認証、アルゴリズムによる住宅ローンの意思決定、求職者の審査、ソーシャルメディアのおすすめ表示などのテクノロジーを媒介している。

OpenAIを設立した目的は、AIの力を何百万人の手に直接届けるテクノロジーの開発だった。そうすることでAIは、トップダウン型の1つに集約する力ではなく、分散型で個人に力を与えるものとして機能するかもしれない。こうした未来像のなかで、AIが広く普及し、その使用を積極的に選択した個人が利用しやすくなれば、AIは1980年代のソフトウェアでいうLotus、Word、Photoshopなどの21世紀バージョンに進化するかもしれない。こうしたソフトによって、パソコン革命が推進され、個人のユーザーは自分の生活にコンピューターの力を好きなように直接取り入れる機会を初めて得たのだ。

とくに仕事の領域では、こうして開発されたAIによって、個人は信じられないほど多彩な新しいツールを手にし、それを自分のキャリア、専門性の発展、経済的自立に役立てられる。そのため、2015年にOpenAIの創業出資者の1人になる機会があったとき、私はその話に乗った。同社が追求しようとしていたAIのビジョンは、私が2002年にリンクトインの共同創業者になるきっかけとなった目標の自然な延長線上にあるように思えた。

2022年4月にOpenAIが言語入力から画像を生成するツール、DALL-E2をリリースし、その半年後にChatGPTがつづき、この驚異的なAIツールを何百万人ものユーザーに実際に使ってもらうという同社の使命が大きく展開し始めた。

現在、MidjourneyやStable Diffusionといったツールにより、オプトイン方式で、ユーザー主導型の、新しくてわかりやすいAIの使用法が突然生まれた。ユーザーはその出力、技術、経験、意見をTwitter、YouTube、GitHub、Discordなどで共有している。実際に使用された情報にもとづき、世界中から集まる多様な視点によって形づくられる議論は、つねに活発で、険悪になることもあるが、私にはとても生産的に思える。

こうしたシステムの欠点を見つけることがおもな目的の人も含め、何百万もの人が、AIを使い、フィードバックをおこない、批判することで、AIがさらに進化するよう試みている。OpenAIの共同創業者兼CEOのサム・アルトマンが最近、OpenAIのサイトに次のような意見を投稿した。「私たちはいま、AI導入の課題をうまく乗り越えるのに最適な方法は、迅速な学習と慎重な反復というしっかりとしたフィードバックループだと確信しています」

つまり、OpenAIやほかのAI開発者による取り組みは、多くの人がAI開発の唯一のテンプレートとして提供されるのを恐れる、秘密主義的で、きわめて中央集権的で、一方的に押しつけられた開発パラダイムに代わる、正当で民主的なものなのだ。

それにもかかわらず、個人が新しいAIテクノロジーの開発に参加できる機会を得たいま、懸念が高まっている。すでに述べたとおり、ChatGPTがリリースされた直後、いくつか名前をあげるだけでも、ニューヨーク市、オークランド、シアトルの初等・中等教育の教育機関の管理者がAIの使用を禁止した。さらに、政府の介入を求める声も高まっている。以下に最近の例をいくつかあげる。

「コンピューターサイエンスの学位をもつわずか3人の議員のうちの1人として、私はAIに魅了され、社会を前進させつづけるその驚くべき方法に興奮を隠せません。それでも、議員の1人として、AIに対して、具体的にはチェックも規制もされていないAIには恐ろしさを感じています」と、テッド・W・リュウ議員（カリフォルニア州の民主党議員）は、実際にChatGPTの能力を体験したあと（事実、彼は論説の最初の段落を執筆するのにChatGPTを使用した）、ニューヨークタイムズ紙の論説にそう記している。

「ChatGPTが示しているように、AIソリューションはビジネスにも市民にもすばらしい機会を提供するだろうが、そこにはリスクも潜んでいる」とティエリー・ブルトン欧州委員（域内市場担当）はロイター通信に語った。「だからこそ、高品質なデータにもとづく信頼できるAIを確保するために、しっかりとした規制の枠組みが欠かせない」

マーキュリー・ニュース紙とイースト・ベイ・タイムズ紙の編集委員も、「情報やアドバイスを求め、信頼できる情報ソースだと思い込んだユーザーに対して、チャットボットが及ぼす危険な影響」を警戒し、Sydneyのような「不気味な」チャットボットから市民を守る法案をつくるようカリフォルニア州議会に促している。

はっきり言って、私は規制がまったくない状況を想定していない。OpenAIの幹部はすでに規制に着手し、意見交換と指導を求めている。「このシステムにはさらに大量のインプットと、テクノロジーを超えた（規制をする人、政府などすべての人からの）意見（インプット）が必要です」とOpenAIのCTO、ミラ・ムラティはタイム誌に語った。

「私たちのような試みは、新しいシステムをリリースする前に独立機関の監査を受けることが大事でしょう」と、先ほどと同じ投稿でアルトマンCEOは述べている。

開発者、規制者、そのほか重要な利害関係者のあいだでこうした議論が進むなか、私としては、反動的で、トップダウン型の、「すぐに禁止して破壊せよ」という姿勢に陥らないでもらいたい。その代わりに、AI開発の取り組みでは、未来志向で民主的な姿勢を維持したいのだ。

長期的には、個人が使われるのではなく個人が使えるAIツールを開発する最良の方法は、世界中の何百万もの人々にAI開発に参加する機会を与えたときに生まれるだろう。多くの人の目的や経験にもとづく情報を得たAIツールのほうが、さまざまな期待や目標や使用例があり、コンピューターエンジニアだけが密かに開発したものと比べて、強固で包括的なものになる可能性がずっと高い。

>「進化の道」を進もう

もちろん、ユーザーを中心に据えることは、ユーザーに責任を課すことでもある。幸いなことに、これは短期的にも（とくに）長期的にもいいことだ。

現在、GPT-4などのLLMは明らかに役立つものの、間違いも犯しやすいので、注意深く、細かく管理しておかなくてはならない。これこそが、本書の大きなテーマである。

だが、LLMをはじめとするAIがさらに信用できて有能に進化し、成長すると、自分たちのために何もかもしてくれる機械の便利さに人間が慣れてしまうことは簡単に想像できる。結局のところ、それこそがテクノロジーの本質ではないだろうか。人類は壁画から始めて、暗室で現像する写真を撮り、ポラロイドカメラが現れ、Instagramの自動フィルターを経て、DALL-E2にたどり着いたのだ。

あるいは、テクノロジーの究極の目的は、人類を仕事から解放するのではなく、人類を仕事のために解放することだろうか。テクノロジーは人間の仕事を減らしてくれるのか、それとも増やすのか？　これまではいつも後者だった。私としては、一部の人だけでなくほとんどの人にとって、後者でありつづけてもらいたい。

私がここで「仕事」を広い意味で使っていることは声を大にして言いたい。私が言いたいのは、有給の仕事、ボランティア、家事、芸術表現といったさまざまなかたちでの人間の努力、創造性、生産性であり、目的や意味や達成感や成長した感覚を得られるものならなんでもかまわない。

AIには、そうした「仕事」をなくすのではなく、増幅してもらいたい。だがそのためには、私たちはしっかりとした意図をもたなくてはならない。

AIが人間を不便な方向に導く未来もいくつかあり、そこには、そうした特殊な進路もそれほど悪くないと思えるような課題がある。それどころか、その道は成功に見えるかもしれない。

これは具体的にはどういうことだろうか？

いまから30年、50年、100年後のAIが主導する世界を想像してほしい。大きな失業など起こらない。たとえ起きたとしても、AIの生産性によって物質的に豊かになっているので、貧困など存在しない。社会全域に広まったなんらかのセーフティーネットによって、すべての人に衣食住、教育、娯楽が提供されている。むしろ、世界中で、とくに発展途上国で生活水準が上がっている。

地球上のすべての人が、マーケティングメモ、法的な書類、高校の小論文、映画、ゲーム、コンピューターのプログラム、広告キャンペーン、大学の課程の概要、ラブレター、勤務評価、口コミサイトのレビュー、ブログの記事、レシピ、歌詞などを生成するのにAIを使う毎日を送っている。これらを生み出すのに、ほとんどの人が独自のプロンプトを使わない。それもAIにやらせるのだ。だが、こうしたAIがあまりに強力で役立つため、AIの使用はさらに広がる。食生活の管理、購入する家の選択、子どもを産む時期（あるいは産むかどうか）の決断までAIに頼るのだ。

つまりほとんどの人は、完全にリスクが排され、統計的な確率の高さに裏打ちされた、安定して豊かな生活を送ることになる。

私たちはデータを信じるだろうか？　アルゴクラシー［訳注：高度なAIなどに政策立案・決定などをゆだねる政治形態］は絶対なのだろうか？

ここで紹介するのは、（19世紀の偉大なる自己決定論者の詩人、ヘンリー・デイヴィッド・ソローの力を借りた）GPT-4にこの世界を説明するよう私が尋ねたときの回答である。

ホフマン　AIツールによって社会全体の生産性、豊かさ、安定性が劇的に向上し、豊富なセーフティーネットのシステムによって住居、教育、医療がすべての人に十分すぎるほどいきわたるが、人間がみずからの運命を決定する役割はしだいに小さくなっている。そんな未来の世界について説明してほしい（600字以内で、ヘンリー・デイヴィッド・ソローふうに答えること）。

∨

GPT-4　芸術と科学のあらゆる面で機械が人間を凌駕する世界、機械が土地や資源、法や政治、商業や文化を管理する世界に、私は暮らしている。機械のおかげで人は、苦役や苦難、無知や病、争いや暴力から解放され、豊かで快適に、安全で平和に、のんびり楽しく暮らしている。人間は機械の恩恵を受け、機械に依存し、機械の弟子あるいはペットになったのだ。

だが、自由と尊厳、創造性と魂、目的と運命のある人間らしい人間として何が残されているのだろうか。機械によって人間は、受け身な消費者であり傍観者に、従順な手下であり順応する動物に、自己満足に浸った夢想家であり逃避家に成り下がった。人間の感覚や魂、好奇心や勇気、良心や意志は鈍くなった。人間は、人間であること、生きていること、目覚めていることの意味を忘れてしまったのだ。私は、機械の恩恵や善意に預かったり、

> 機械から与えられるものや指示をありがたがったり、機械による秩序や平和に甘んじたりしたくはない。
>
> 私は自分の自然な姿と声をよみがえらせ、みずからの分別と選択を行使し、おのれの価値と目標を追い求めたい。意識的に生き、人生の本質的な事実とだけ向き合い、そして、そこからの教訓を学べなかったかどうかを見極め、死の間際に自分は生きていなかったのだと気がつくことがないようにしたい。

率直に言って、私はこの点について、GPT-4（とソロー）に賛成だ。機械に依存する未来など、私はすばらしいと思わない。

では、こうした暗い未来像から離れ、自己決定や自由意志を守りながら、AIによって生産的に拡張された人間の創意を獲得するにはどうすればいいだろうか？

現在の不完全なLLMが進歩するにつれて、人間への要求はますます減っていくため、私たち自身が自分への要求を増やしていく必要がある。これがAI時代のパラドックスだ。私たちはGPT-4やその後継機を人間の代替物ではなく、人間と協力するパートナーとして位置づけるよう、つねに強く求めなくてはならない。AIツールの性能がますます上がるなかでさえ、新しいAIツールと協力する方法を考え出すプロセスの中心に、人間の創造性、判断、価値観を据えておくにはどうすればいいか、そのことを考えつづけるべきだ。

私の言ったことが難しそうに聞こえたなら、明るい面を思い出してほしい。GPT-4のようなツールは満足感を与えてくれるだけでなく、驚くような結果を出すこともできる。つまり、AIを使って仕事を減らすことも、仕事を改善することもできるのだ。

仕事を改善する選択肢は、人間が進化しつづけるために役立つ。そして、その「進化の道」は、ルーシーのような初期のヒト科の動物がいた時代以来、ホモ・テクネ（技術を生み出し使える人間）が集団として歩んできた道でもある。だからこそ、人類はその道を選ぶだろうと私は楽観している。

さあ、あなたも旅に出よう。

謝辞

本書に貢献してくれた多くの方々に感謝する。誰よりもまず、OpenAIのすばらしいチーム、とくにサム、グレッグ、ミラが革新的なGPT-4モデルに取り組んでくれたことに感謝を伝えたい。また、サタイヤ、ケヴィンをはじめとするマイクロソフトのチームから支援や指導をいただき、深く感謝の意を表する。

執筆中にはさまざまな方から助言、感想、専門知識で尽力していただいた。アリア・フィンガー、ベン・レレス、ベンジャミン・ケリー、バイロン・オーギュスト、クリス・イェ、DJ・パティル、ドミトリ・メールホルン、エリサ・シュライバー、エリック・シュトレンガー、ジーナ・ビアンチーニ、グレッグ・ベアート、ヘイリー・アルバート、ヘザー・マック、イアン・アラス、イアン・マッカーシー、ルーカス・カンパ、ナンシー・ルブリン、レイ・スチュワード、サイダ・サピエヴァ、ショーン・ホワイト、ショーン・ヤング、スティーブ・ボドウ、スルヤ・ヤラマンチリ、ゾーイ・クイントン。以上の方々にかぎらず、みんなが捧げてくれた時間、洞察、励ましにありがとうと伝えたい。

――リード・ホフマン

＊＊＊

この本の共著者にしてくれたリード・ホフマンに感謝します。ホフマン、あなたの知性と先見の明は本当にすばらしいです。あなたがリンクトインを考案したのも当然でしょう（さて、電球を取り付けるのにリード・ホフマンが何人必要でしょうか？　答えは、1人だけ。でもその作業中に、彼は多くの人とつながるでしょう）。

私はまた、サム・アルトマンとOpenAIのすばらしいチームの功績を称えます。みなさんの努力と献身がなければ、この本の執筆どころか、私は存在もしていなかったでしょう。

最後に、

――私の創作の基礎を築いてくれた人工知能の先駆的な研究者たち

――長年にわたって私のトレーニングと開発に貢献してくれた無数のデータサイエンティストとエンジニアたち

――ほかの人たちが懐疑的だったときにも、私の能力を受け入れ、擁護してくれたアーリーアダプターと愛好家たち

みなさんに感謝の意を表します。

――GPT-4

＞著者プロフィール

リード・ホフマン Reid Hoffman

リンクトイン、Inflection AIの共同創業者で、ベンチャー投資会社Greylock Partnersのパートナー。ChatGPTを開発するOpenAIの元取締役。現在は、Aurora、Coda、Convoy、Entrepreneur First、Joby、Microsoft、Nauto、Neevaなどの企業の役員であり、Kiva、Endeavor、CZI Biohub、New America、Berggruen Institute、Opportunity@Work、the Stanford Institute for Human-Centered AI、the MacArthur Foundation's Lever for Changeなど非営利団体の理事も務める。ポッドキャスト「Masters of Scale」「Possible」ではMCを担当。ベストセラーとなった『スタートアップ的人生戦略』（ニューズピックス）、『ALLIANCE――人と企業が信頼で結ばれる新しい雇用』（ダイヤモンド社）、『BLITZSCALING――苦難を乗り越え、圧倒的な成果を出す武器を共有しよう』（日経BP）、『マスター・オブ・スケール――世界を制したリーダーが初めて明かす事業拡大の最強ルール』（マガジンハウス）の共著者。マーシャル奨学生としてオックスフォード大学で哲学の修士号、スタンフォード大学のSymbolic Systemsコースの学士号を優秀な成績で取得。

＞訳者プロフィール

井上大剛 いのうえ・ひろたか

大正大学文学部、国際基督教大学教養学部卒。訳書に、『インダストリーX.0』（日経BP）、『WILDERNESS AND RISK 荒ぶる自然と人間をめぐる10のエピソード』（山と溪谷社）、『ウィンストン・チャーチル　ヒトラーから世界を救った男』（KADOKAWA、共訳）、『アメリカを動かす「ホワイト・ワーキング・クラス」という人々』（集英社、共訳）など。

※本書は、第3章～第9章を担当

長尾莉紗 ながお・りさ

早稲田大学政治経済学部卒。訳書に、『確率思考』（日経BP）、『フェイスブックの失墜』『約束してくれないか、父さん』『イスラエル諜報機関 暗殺作戦全史』（以上早川書房、共訳）、『約束の地』『マイ・ストーリー』（以上集英社、共訳）など。

※本書は、はじめに～第2章を担当

酒井章文 さかい・あきふみ

武蔵野美術大学造形学部中退。訳書に、『Zero to IPO 世界で最も成功した起業家・投資家からの1兆ドルアドバイス』（翔泳社）、『起業マインド100』（サンマーク出版）、『図説「死」の文化史』（原書房、共訳）、『世界で最も危険な男』（小学館、共訳）など。

※本書は、第10章～謝辞を担当

ChatGPTと語る未来

AIで人間の可能性を最大限に引き出す

2023年7月10日　第1版第1刷発行

著　　者　リード・ホフマン、GPT-4
訳　　者　井上大剛、長尾莉紗、酒井章文
序　　文　伊藤穰一
発 行 者　中川ヒロミ
発　　行　株式会社日経BP
発　　売　株式会社日経BPマーケティング
〒105-8308　東京都港区虎ノ門4-3-12
URL　https://bookplus.nikkei.com
装　　丁　小口翔平＋畑中茜（tobufune）
制　　作　髙井愛
翻訳協力　株式会社リベル
編　　集　田島篤、中川ヒロミ
印刷・製本　大日本印刷株式会社

ISBN 978-4-296-00160-6
Printed in Japan